← Die Mannigfaltigkeit des
← Schweizer Landschaftsbildes offenbart sich eindrücklich in den Gebirgsregionen, wo Firn und Alpenflora sich berühren. Blick auf Jungfrau, Silberhorn und Kleine Scheidegg

Contraste entre l'alpage en fleurs et les neiges éternelles: la Jungfrau, le Silberhorn et la Petite Scheidegg

Nowhere is the diversity of the Swiss landscape more striking than in the mountains, with their contrast between the eternal snows and the flower-covered Alpine pastures. View of the Jungfrau, Silberhorn and Kleine Scheidegg

Contraste entre la vegetación alpina en flor y las nieves eternas: la Jungfrau, el Silberhorn y Pequeña Scheidegg

← Das Stadtbild von Bern ist typisch für viele Schweizer Städte

L'ancienne ville de Berne a conservé la physionomie d'autrefois

The townscape of Berne is typical for many Swiss cities

Berna es una ciudad típicamente suiza

Rege kulturelle Aktivitäten in der Schweiz

Les activités culturelles en Suisse

The cultural activities in Switzerland

La vida cultural en Suiza

Z 120
5593

10
01
49

← Berge und Seen im Ferienland Schweiz laden ein zu aktiver sportlicher Betätigung. – Der Thunersee ist ein Eldorado für Segelsportler

Montagnes et lacs invitent au sport: le lac de Thoune, paradis des voiliers

Switzerland is a holiday paradise: lakes and mountains attract those who enjoy sporting activities. Sailing-boats on the lake of Thun

Montañas y lagos invitan al deporte: el lago de Thun, paraíso de los que practican la navegación a vela

Die werktätige Schweiz: Von alters her überlieferte Fertigungsmethoden und die Fabrikation hochentwickelter Industriegüter existieren gleichberechtigt nebeneinander

Artisanat traditionnel et grande industrie moderne coexistent harmonieusement

Switzerland at work: traditional methods and the ultramodern processes of industrial production both have their place in the economy of the country

La artesanía tradicional y la gran industria moderna coexisten en buena armonía

SULZER Winterthur

← Staumauer und Stausee Oberaar im Berner Oberland

Barrage et lac d'accumulation d'Oberaar dans l'Oberland bernois

Oberaar dam and storage reservoir in the Bernese Oberland

Presa y pantano de Oberaar, en el Oberland bernés

Schweizer Architekten leisten Pionierdienste im Wohnbau

Les architectes suisses contribuent grandement au progrès de la construction moderne

Swiss architects evolve new forms of urban development

Arquitectos suizos se distinguieron como precursores de la construcción de nuevos tipos de viviendas

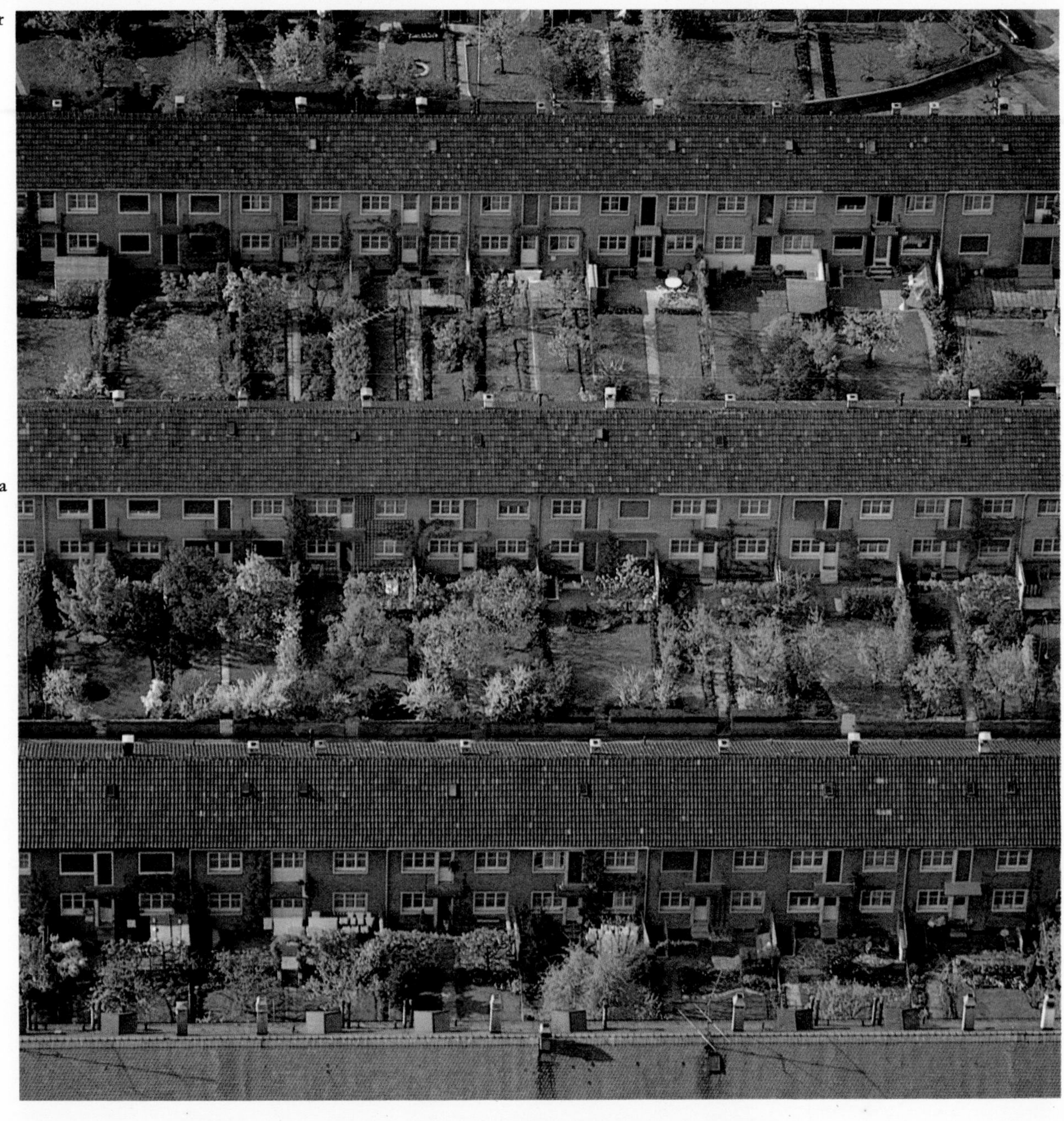

Wissenschaft und Forschung geniessen einen weltweiten Ruf. Prototyp einer modernen höheren Lehranstalt ist die Hochschule St. Gallen für Wirtschafts- und Sozialwissenschaften

La science et la recherche scientifique suisses sont réputées dans le monde. Un bâtiment de l'Ecole des Hautes Etudes économiques et sociales de Saint-Gall

Science and research enjoy a world-wide reputation. The St. Gall Graduate School of Economics, Business and Public Administration sets a new standard for institutions of higher education

Las ciencias y las investigaciones de Suiza gozan de fama mundial.
La Universidad de San Gall para las Ciencias Económicas y Sociales es uno de los centros más modernos de enseñanza

Schweiz
Suisse
Switzerland
Suiza

Souvenir

Schweiz
Suisse
Switzerland
Suiza

Souvenir

Mit einem Vorwort
von Walter Leu
Text von Conrad Streit

Fotos:
Automobilabteilung PTT; Ueli Ackermann; Paul Barth;
Jürg Bernhardt; Willi P. Burkhardt; Leonardo Bezzola;
Comet-Photo; H. und B. Dietz; Yves Debraine;
Siegfried Eigstler; Friedrich Engesser; Alberto Flammer;
Walter Floreani; Werner Friedli; Lisa Gensetter;
Philipp Giegel/SVZ; Hans Kasser; Bruno Kirchgraber;
K. Kitamura; Rolf Krebs; Ulrich Leibacher; Lemanphoto;
Peter Meyer; Otto Pfenniger; Publizitätsdienst BLS;
Publizitätsdienst SBB; Pius Rast; Schweizerische Verkehrszentrale;
Fernand Rausser; Swissair-Photo; Marlis Saxer;
Hans Schlapfer; Walter Studer; Edmond Van Hoorick;
Rainer B. Wiederkehr; Michael Wolgensinger.

Souvenir
Ein BÜCHLER-Buch

6. überarbeitete Auflage 1980
Gesamtherstellung: Büchler + Co AG, Wabern

ISBN 3-7170-0180-9
Printed in Switzerland

Die Schweiz - Insel im Herzen Europas

Am 4. Dezember 1979 sorgte die Volkskammer des schweizerischen Parlaments, der Nationalrat, mit einem der heiligen Barbara würdigen Knalleffekt für Schlagzeilen. Sie wies eine Vorlage, die es der Schweiz ermöglichen sollte, im Frühling 1980 wie die übrigen Staaten Mittel- und Westeuropas die Sommerzeit einzuführen, zurück. Damit war die Möglichkeit vergeben, den Erlass innert nützlicher Frist in Kraft zu setzen, und man musste in Kauf nehmen, dass das Land mindestens einen Sommer lang zu einer «Zeitinsel» inmitten des Kontinents werde.
Indessen – kommt die Schweiz nicht in gewisser Weise seit jeher einem Eiland gleich? Es sei dabei nicht einmal so sehr an Zeiten der Not gedacht, da sie, selber von Sturmfluten wunderbarerweise verschont, Tausenden von Menschen als ersehntes Ziel vor Augen stand und ihnen in humanitärer Pflichterfüllung half, soweit sie es vermochte. Vielmehr erschienen und erscheinen auch in den Jahren des Friedens und der Prosperität ihre Berge, Täler und Seen manch einem als Hort der Ruhe fern von Unrast, Ärgernis und menschlichem Widerstreit, und dies weckte stets Gefühle behaglichen Sichlösens von äusserer Betriebsamkeit, ein Empfinden – buchstäblich und durchaus im guten Sinne – der Isolation, des inselhaften Abgegrenztseins. Das Suchen nach Einsamkeit, nach unberührter Natur, beseelte übrigens schon jene Denker der romantischen Epoche, etwa Rousseau, dann Goethe, Byron usw., welche zu Recht unter die modernen Entdecker der schweizerischen Landschaft zu reihen sind.
Diese Landschaft bestand schon zuvor. Es gab sie – in noch urtümlicher Form zwar –, als Fischer und Jäger der mittleren Steinzeit kleine zeitweilige, später die ersten Ackerbauern und Viehzüchter grössere und beständigere Lichtungen, sozusagen Inseln im Wald und am Wasser schufen. Sie wurde zur Kulturlandschaft in umfassenderem Sinne, als keltische Volksstämme breit gerodete Fluren unter den Pflug nahmen, als die Römer ihre Gutshöfe errichteten, Strassen, Städte und Kastelle anlegten. Auch damals bildete das helvetische Mittelland, vor allem sein tiefer gelegener Teil, eine Art von langgestreckter, wohlbestellter und besiedelter Insel zwischen dem kaum erschlossenen Jura und den noch undurchdringlichen, nach Süden und Südosten gegen die Alpen ansteigenden Waldhöhen. Einzig die bedeutenden römischen Heeresrouten führten, als Verbindung zur Aussenwelt, aus ihr hinaus.
Die Isolierung wich fürs erste während der Völkerwanderungsperiode. Fortan bestimmten, neben den zum Teil dezimierten, zum Teil sich ins Gebirge zurückziehenden kelto- und rätoromanischen Bewohnern neue Volksgruppen germanischen Geblüts die Szene: die Alemannen, die vom Rhein bis zum Bieler-

und Thunersee vordrangen und sich auch in einer Reihe von Tälern der Nord-, mit der Zeit selbst der Zentralalpen niederliessen; die Burgunder und die Langobarden, die auf Umwegen in die spätere West- und Südschweiz kamen, sich aber dort auf die Dauer gegenüber den bereits Ansässigen nicht zu behaupten vermochten, sondern sich in sie integrierten. Derart entstand ein Hauptkennzeichen des künftigen Staatswesens: die Viersprachigkeit seiner Bewohner – der alemannischen Deutschschweizer, der französischsprachigen Westschweizer, der italienischsprachigen Tessiner und Südbündner und der Rätoromanen mit ihrem nach Tälern aufgegliederten klangvollen Idiom.

Während des Mittelalters weitete sich der Siedlungsraum in verschiedenen Etappen noch aus. Er erfasste nun auch die Waldgegenden des höheren Mittellandes und der Voralpen, den Hochjura wie eine Anzahl hochgelegener Alpentäler. Die ganz beträchtliche, durch das Relief bedingte Kammerung hatte eine grosse Eigenständigkeit der Bergbewohner zur Folge. Lässt sich aber dieser in einzelnen Talkammern auflebende Partikularismus nicht erneut mit dem Insel-Begriff in Beziehung setzen?

Die verschiedenen Siedlergruppen gaben sich eigene rechtliche, politische und wirtschaftliche Organisationen, die zum Teil heute noch bestehen. Gegen äussere Gefahr konnten sie Bündnisse schliessen und gemeinsam ins Feld ziehen; politisch aber bildeten sie individuelle Einheiten. Aus dem Bund der ländlichen inneren Orte am Vierwaldstättersee – der «Urkantone» Uri, Schwyz und Unterwalden –, etwas später auch der Glarner, Zuger und Appenzeller, mit einzelnen grösseren, das offene Land beherrschenden Städten (Zürich, Bern, Luzern, später Freiburg, Solothurn, Basel, Schaffhausen) entwickelte sich die «alte» Eidgenossenschaft, die zusammen mit «gemeinen», d.h. gemeinsam verwalteten Herrschaften und sogenannten «zugewandten Orten» über ein Territorium vom Ausmass ungefähr der heutigen Schweiz gebot. Sie wandelte sich, nach der Neubildung der Kantone in der Ära Napoleons, 1848, zum Bundesstaat.

Lassen Sie sich, verehrte Leserin, verehrter Leser, nach solch knapper und unvollständiger Präsentation der Landschafts- und Landesgeschichte nicht täuschen in der Meinung, die Schweiz sei unter derartigen Voraussetzungen zutiefst konservativ, wenn nicht rückständig geblieben. Ein Blick auf die Städte, auf Wirtschaft, Handel und Verkehr, auf den stürmischen Aufschwung besonders in den letzten Jahrzehnten lehrt anderes. Dabei sollte man auch einem Faktor Rechnung tragen, der sich seit der Reformation, nicht zuletzt aber in der Epoche der Industrialisierung, ausgewirkt hat. Die Reformation, die vor allem in einigen grösseren Städten und den von ihnen abhängigen Landgebieten Fuss fasste, und der Zuzug von Glaubensflüchtlingen aus dem Ausland frischten das Lebensklima auf; andererseits wurden in den katholisch gebliebenen Regionen zur Zeit der Gegenreformation die Grundlagen für ein erneuertes Erziehungswesen geschaffen. Ein von hohem Arbeitsethos beseelter Geist brachte im 18. und 19. Jahrhundert Gewerbe und Industrie zur Blüte. Da Bodenschätze weitgehend fehlten, war man auf verfeinerte, qualitativ hochstehende Produktion durch Veredlung angewiesen; nur mit ihr bot der Export der Erzeugnisse Aussicht auf Erfolg. Damit aber war der Weg zum Wohlstand und hohen Lebensstandard gewiesen, dessen sich der Schweizer heute erfreut; ohne ausdauernden Fleiss vom frühen Morgen an – die Schweiz ist eine Nation von Frühaufstehern! – und ohne Fachwissen wäre es nicht gelungen.

Dessen hat man sich bewusst zu sein, wenn man die arbeitende Schweiz von heute betrachtet, die sich deutlich vom Ferien- und Erholungsland Schweiz abhebt. Bei einem Vergleich erkennt man aber auch, dass beide – die «Ferien-Schweiz» und die «Alltags-Schweiz», wie Werner Kämpfen sie genannt hat, ohne Weltoffenheit, ohne enge wechselseitige Beziehungen zu angrenzenden wie weiter entfernten Ländern kaum mehr auszudenken sind. Wenn wir beim Insel-Motiv bleiben, erscheint also ein dichtes Verbindungsnetz über die Trennstrecken hinweg als unabdingbar.

Ein Zwiespalt kann sich und hat sich auch ergeben zwischen diesem Bedürfnis nach Öffnung und jenem nach betonter Eigenständigkeit. Der föderalistische Aufbau des Staates mit über 3000 Gemeinden und 26 verschieden grossen, aber gleichberechtigten Kantonen entspricht dem Willen der Bürger, die, in einem System direkter und permanenter Referendumsdemokratie, nicht nur die Behörden zu wählen, sondern Jahr für Jahr zu einer Reihe von Sachfragen souverän Stellung zu beziehen haben. Da mag es denn, gerade wenn man sich der geschilderten landschaftlichen Gliederung und ihrer Folgen erinnert, verständlich werden, wenn gelegentlich der Wunsch nach Bildung einer abgesonderten Insel, sogar einer solchen zeitlicher Art, stärker ist als das rationale Bedürfnis nach verbessertem Kontakt mit der Aussenwelt.

Als «Souvenir» an die Schweiz möge das vorliegende Buch nicht nur das Auge mit Eindrücken landschaftlicher Schönheit erfreuen, sondern seinen Benützern das Land mit seinen Bewohnern, mit ihrem Dasein in harter Arbeit wie beim frohen Fest, ganz allgemein etwas näherbringen.

Walter Leu
Direktor der Schweizerischen Verkehrszentrale

La Suisse - une île au cœur de l'Europe

Le 4 décembre 1979, la Chambre du Parlement suisse où siègent les représentants du peuple, le Conseil national, prenait une décision en coup de théâtre digne de la sainte patronne des artilleurs, sainte Barbe, qui avait sa fête ce jour-là, en refusant un projet d'introduction de l'heure d'été visant à mettre dès le printemps 1980 la Suisse au diapason de ses voisins d'Europe centrale et occidentale. Ce faisant, la date d'adoption d'une heure commune est reculée d'au moins une année, pendant laquelle le pays fera figure d'«îlot temporel» au cœur du Continent.

Mais n'est-ce pas là une preuve de plus de l'insularité de la Suisse? Nous ne pensons même pas tellement aux époques de détresse alentour où, miraculeusement préservé de la tempête, ce pays a constitué un lieu de refuge aux yeux de milliers d'errants qui trouvèrent accueil dans la mesure du possible au nom de nobles principes humanitaires. Même dans les années de paix et de prospérité, les montagnes, lacs et vallées suisses ont de tout temps incarné aux yeux de l'étranger un havre hors des fureurs de la lutte pour la vie, des troubles et conflits humains, d'où l'impression de s'y sentir retranché du monde extérieur dans une atmosphère lénifiante et le confort total de l'isolationnisme (l'île se disant «isola» au Tessin) au meilleur sens du terme, derrière quelque limes tenant en échec les incursions belliqueuses des agités de ce monde. Et c'est en effet bien dans les montagnes suisses que Rousseau, puis les grands penseurs de l'époque romantique, Goethe, Byron et tant d'autres, ont situé leur nostalgie d'une nature inviolée, des grands espaces où l'homme pouvait encore s'absorber dans la solitude; on peut à juste titre les considérer comme les découvreurs des paysages suisses.

Ces paysages naturels ont toujours été là. Sous une forme plus proche des origines lorsqu'au mésolithique des pêcheurs et chasseurs, suivis des premiers cultivateurs et éleveurs, y défrichèrent des clairières agrandies pour les besoins des sédentarisés, en somme des espèces d'«îlots» dans les massifs forestiers et le long des cours d'eau. Le passage des paysages naturels aux paysages de culture au sens le plus large du terme fut le fait des populations celtes qui transformèrent de vastes étendues d'essarts en terres de labour, puis des Romains qui établirent villas, villes et castels et tracèrent les premières routes. A cette époque encore, le Moyen-Pays helvétique, en particulier les terres basses, longue et large dépression géographique allant du Rhône et du Léman au Rhin et au lac de Constance, formait une espèce d'«île» allongée, recouverte d'un réseau dense d'exploitations agricoles et de lieux habités entre le Jura à peine exploré, d'une part et les hauteurs boisées encore impénétrables des Préalpes vers le sud et le sud-ouest, de l'autre. Seules les grandes voies romaines reliaient

cette entité per se au monde extérieur.
Les grandes invasions mirent fin, pour un temps, à cet isolement. C'est alors que s'installent aux côtés d'une population celte et rhétique romanisée, en partie décimée, en partie repliée sur les montagnes, des tribus germaniques qui vont changer le caractère ethnique du pays: les Alamans entre le Rhin et les lacs de Bienne et de Thoune, qui peuplèrent aussi une série de vallées des Alpes du Nord, par la suite même les Alpes centrales; les Burgondes et les Lombards, qui pénétrèrent par des voies détournées dans ce qui allait être la Suisse romande et le Tessin, mais ne parvinrent pas, à la longue, à s'imposer face aux autochtones et se fondirent dans la population indigène. Et c'est ainsi que s'ébaucha cette particularité linguistique du futur Etat suisse qui a étonné le monde: le quadrilinguisme de ses habitants – les Suisses alémaniques parlant allemand, les Suisses romands francophones, les Tessinois de langue italienne et les Suisses rhéto-romans qui ont conservé leur idiome riche en sonorités, le romanche, dans les hautes vallées des Grisons, réparti sur une multiplicité de dialectes.
Durant le Moyen Age, de nouvelles terres furent progressivement conquises à l'habitat, depuis les régions boisées du Plateau situées en altitude et les Préalpes jusqu'à la crête du Jura en passant par toute une série de vallées hautes dans les Alpes. Le relief imposa ce faisant un compartimentage aux populations montagnardes qui est à l'origine d'un particularisme «insulaire» cette fois-ci à l'échelle des vallées.
Les communautés rurales et urbaines se dotèrent de formes d'organisation autonomes sur les plans juridique, politique et économique dont on retrouve mainte trace, sinon de franches survivances, dans le tissu de la Confédération actuelle. Face aux dangers qui pouvaient les menacer, elles s'unissaient et levaient des troupes communes tout en gardant leur indépendance sur le plan politique. L'ancienne Confédération, celle des XIII Cantons ou d'Ancien Régime, est née de l'association des trois cantons bordant le lac des Quatre-Cantons (les trois mousquetaires étant quatre avec Lucerne), soit les cantons de la Suisse dite primitive, Uri, Schwyz et Unterwald, rejoints successivement par Glaris, Zoug et Appenzell, mais aussi par des communautés urbaines importantes étendant leur influence aux campagnes environnantes: Zurich, Berne, Lucerne, puis Fribourg, Soleure, Bâle et Schaffhouse. A ces XIII cantons souverains venaient s'ajouter les pays sujets communs et les Etats alliés. Cette union d'Etats couvrait un territoire équivalant à peu de choses près à la Suisse d'aujourd'hui. Après la redistribution territoriale intervenue à l'époque napoléonienne, la Suisse devint en 1848 un Etat fédéral.
Au terme de ce rapide et forcément incomplet survol de la géographie et de l'histoire suisses, le lecteur (ou la lectrice) pourrait être tenté(e) de croire que ce pays est, par la force des choses, resté conservateur, voire engoncé dans des traditions surannées. Il n'en est rien. Il suffit de jeter un coup d'œil au paysage urbain contemporain, à l'essor vertigineux de l'économie, du commerce et des transports – surtout au cours de ces dernières décennies – pour s'en convaincre. Il convient évidemment de tenir compte d'un autre facteur dont l'influence s'est exercée

depuis la Réforme, et en particulier depuis l'industrialisation du pays au XIXe siècle. La Réforme, qui parvint à s'implanter dans certaines grandes villes et les campagnes environnantes, et l'afflux des réfugiés huguenots introduisirent des idées nouvelles et, partant, un véritable bouillon de culture. Par ailleurs, la Contre-Réforme jeta dans les régions demeurées catholiques les fondements d'un système d'éducation rénové. L'essor du commerce et de l'industrie aux XVIIIe et XIXe siècles fut aussi porté par une éthique du travail peu commune. En l'absence de ressources minérales, il ne restait aux Suisse qu'à se spécialiser dans des productions de haute qualité liées aux industries de transformation et se prêtant à l'exportation. Une fois engagée sur cette voie, la nation suisse connut rapidement la prospérité et un niveau de vie élevé. Sans une discipline de travail constante, des efforts inlassables, du matin au soir – les Suisses sont une nation de lève-tôt! –, et sans un niveau de connaissances professionnelles élevé, les Suisses n'auraient pas atteint le degré de développement dont ils s'enorgueillissent à juste titre.

Voici quelques constats qu'il est utile de garder présents à l'esprit lorsque l'on aborde la Suisse en touriste. La Suisse des vacances est bien différente de la Suisse du travail, la Suisse quotidienne, comme l'a appelée Werner Kämpfen, et pourtant, en comparant ces deux formes de la réalité helvétique, on s'aperçoit qu'elles ne seraient guère concevables ni l'une ni l'autre sans une ouverture totale sur le monde, sans des relations réciproques étroites avec les pays proches et lointains. Si donc nous voulons conserver l'image insulaire, il nous la faut compléter par un dense réseau de communications par-delà les clivages naturels et historiques.

Inévitablement, ce contraste entre le besoin de s'ouvrir au monde extérieur et la volonté de préserver le caractère national original est source de conflits. La structure fédéraliste de l'Etat, avec plus de 3000 communes et 26 cantons d'importance inégale, mais tous égaux en droits, répond au désir des citoyens qui sont appelés, dans un système de démocratie directe et référendaire, non seulement à élire les autorités, mais encore à prendre position, de façon souveraine, sur toute une série de questions essentielles au fil de l'année. D'où une tendance parfois renforcée, déjà du fait de la régionalisation décrite ci-dessus, à isoler «l'île» helvétique spatiale et temporelle des grands courants internationaux au lieu de rechercher des contacts raisonnablement amplifiés avec le monde extérieur.

Le présent ouvrage de souvenirs visuels enchantera certes l'œil par le rendu des beautés naturelles de notre pays; il fera aussi pénétrer le lecteur davantage dans la réalité quotidienne de la vie de ses habitants, partagée entre les dures exigences du travail et leur corollaire indispensable de fêtes et de loisirs.

Walter Leu
Directeur de l'Office National Suisse du Tourisme

Switzerland—
an island in the heart of Europe

On the 4th December 1979, St. Barbara's day, the Swiss National Council, the people's representative assembly, made a dramatic gesture worthy of the patron saint of artillerymen. They rejected a proposal for the introduction of summer time which would have brought Switzerland into line with its central and western European neighbours as from Spring 1980. Thus the date for adopting a common time was put back at least for a year, during which period the country will be a sort of "time island" in the middle of Europe.
But is this not simply another proof of Swiss insularity? We are not so much thinking of the periods when, miraculously preserved from the dangers which threatened from all sides, this country was looked upon as a sort of promised land by the thousands of exiles who, in the name of humanitarian principles, were given a welcome here. Even during the years of peace and prosperity, the mountains, lakes and valleys of Switzerland have always appeared to foreign eyes as a refuge from the fury of life's struggles, from human conflict and strife; a place where one can withdraw from the world into an island of calm, where one can feel literally and in the best sense the comfort of isolation *(in the Ticino, "isola" is the word for island). And in fact it was in the mountains of Switzerland that Rousseau, and later the great thinkers of the Romantic era, Goethe, Byron, and many others, found the fulfilment of their longing for unspoiled nature and for solitude; they could really be considered as the discoverers of the Swiss landscape. This natural landscape, of course, already existed. In a form much closer to its original one when, in the Mesolithic era, hunters and fishermen, followed by the first cultivators and livestock farmers, made large clearings to meet the needs of a non-migratory population, thus creating what one might term "islands" in the huge forests and along the rivers. The development of the countryside, from natural to cultivated in the most general sense, was the work, firstly of the Celtic population who transformed large areas of newly-cleared terrain into agricultural land, and then of the Romans who built towns, villas, and forts and made the first roads. At this period, central Switzerland, particularly the long, broad lowland depression stretching from the Rhône and Lake Geneva to the Rhine and Lake Constance, formed a sort of "island" of habitations and farms, enclosed between the scarcely explored Juras on the one hand, and the still impenetrable wooded heights of the Alpine foothills on the other. Only the principal Roman highways linked this self-contained region to the outside world.*
The great invasions put an end to this isolation for a while. The ethnic character of the country was changed by the arrival of Germanic tribes. Of the original Celtic

and Rhaeto-Romanic population, some where decimated, and some pushed up towards the mountains. The Alemannians established themselves between the Rhine, Lake Bienne, and Lake Thun, and also colonized some valleys in the Northern and later even the Central Alps. The Burgundians and Lombards arrived by roundabout routes at Western Switzerland and the Ticino, but did not succeed in dominating the native populations, but became integrated into them. And thus originated one of the characteristics of the future Swiss state—its linguistic variety; the Germanspeaking Alemannic Swiss, the French-speaking people of West Switzerland (the "Romand" Swiss), the Italian-speaking Ticinese, and the inhabitants of the Grisons with their richly sonorous language Romansch, whose dialects still vary considerably from valley to valley.

During the Middle Ages, new regions were made habitable; the high wooded areas of central Switzerland, the lower Alpine slopes, the crests of the Jura, and a whole series of high Alpine Valleys. The topography of the mountain regions, however, imposed a certain separation on the mountain people, which accounts for a measure of "insularity" among them.

Rural and urban communities created for themselves independent legal, political, and economic systems of which one still finds traces in the structure of the present-day Confederation. In the face of danger, they united and raised a common army while preserving their political independence. The old Confederation, that of the thirteen cantons, developed around the three original cantons (Uri, Schwyz and Unterwalden), which lie on the shores of Lake Lucerne, and which were joined by Glarus, Zug, Appenzell, and by some important cities with their surrounding zones of influence: Zurich, Berne, Lucerne, and later Fribourg, Solothurn, Basle, and Schaffhausen. This union of cantons, together with their allies and subject states, covered an area equivalent to that of modern Switzerland. After the territorial redistribution of Napoleonic times, Switzerland became a federal state in 1848.

At the end of this rapid and necessarily incomplete survey of the geography and history of Switzerland, the reader might be tempted to think that the country has, by force of circumstances, remained conservative and backward-looking. Nothing could be further from the truth. It is enough to glance at the contemporary urban scene, at the tremendous growth of the economy, trade and transport, particularly over the last few decades, to convince oneself. One must take into account another factor which has had an influence since the Reformation, and even more since the industrialization of the country in the 19th century. This is the revitalizing effect of the Reformation, which established itself in certain of the large towns and the areas around them, and of the influx of Huguenot refugees; meanwhile in the areas which remained Catholic, the Counter-Reformation laid the foundations of a modern educational system. A spirit of idealism inspired the hard work which pushed forward the development of trade and industry in the 18th and 19th centuries. In the absence of mineral resources, the Swiss were obliged to concentrate on industries which process raw materials, and to specialize in the production of high quality goods for export. Once embarked on this course, they rapidly attained the prosperity and high living standards of which they are justly proud, thanks to untiring efforts throughout long working days—the Swiss are a nation of early risers—and to a high level of professional competence.

The visitor to Switzerland should bear in mind that, although the contrast between "holiday" Switzerland and "workday" Switzerland (as Werner Kämpfen called it) is very striking, neither would in fact be conceivable without a total openness towards the outside world, and without close mutual ties with countries both far and near. The "insular" image must thus be completed with that of a close network of communications cutting across natural and historical barriers.

Inevitably, the need for openness towards the outside world, and the desire to preserve national character can come into conflict. The Federal structure of the State, with more than 3,000 communes and 26 cantons, of varying importance but having equal legal rights, corresponds to the will of the people, who are called upon, in a system of direct democracy, not only to elect representatives, but also to take part in referendums on important issues throughout the year. This, combined with the regionalism described above, sometimes reinforces the tendency of Switzerland to isolate itself from the international scene instead of seeking more contacts with other countries.

This souvenir book is not only a visual delight in its presentation of the natural beauties of our country; it also enables the reader to penetrate deeper into the reality of the everyday life of the inhabitants, both at work and at leisure.

Walter Leu
Director, Swiss National Tourist Office

Suiza - una isla en el corazón de Europa

El 4 de diciembre de 1979, la Cámara del Parlamento suizo en que figuran los representantes del pueblo, el Consejo Nacional, adoptaba una decisión sensacional, digna de la Patrona de los artilleros, Santa Bárbara, cuya fiesta se celebraba en ese mismo día, por la que se rechazaba el proyecto de introducción de la hora de verano dirigida a situar a Suiza, desde la primavera de 1980, a la misma hora de sus vecinos de Europa central y occidental. Al tomar esta decisión, la fecha de adopción de una hora común se retrasa por lo menos un año, durante el cual el país figurará como un «islote cronológico» en el corazón del continente.

Pero no es ésta una prueba más de la insularidad de Suiza? Ni siquiera lo pensamos así para las épocas de dificultades en torno a ella cuando, milagrosamente preservado de la tempestad, este país constituyó un lugar de refugio a los ojos de miles de personas errantes que fueron acogidas, en la medida de lo posible y en nombre de nobles principios humanitarios. Incluso en los años de paz y de prosperidad, las montañas, los lagos y los valles suizos han encarnado en todo tiempo a los ojos del extranjero la imagen de un refugio al margen de las furias de la lucha por la vida, de las perturbaciones y conflictos humanos, de donde resulta la impresión de sentirse en el país atrincherado ante el mundo exterior, en una atmósfera de alivio y con el completo bienestar del aislacionismo *(isla se dice «isola» en el Tesino) en el mejor sentido del término, protegido tras de cierta frontera que mantiene alejadas las incursiones belicosas de los agitados de este mundo. Y es efectivamente en las montañas suizas donde Rousseau, y posteriormente los grandes pensadores de la época romántica, Goethe, Byron y tantos otros, situaron su nostalgia de una naturaleza inviolada, de los grandes espacios en que el hombre podía concentrarse todavía en la soledad; se les puede considerar con toda justicia como los descubridores de los paisajes suizos.*

Estos paisajes han existido siempre en el país. En forma más cercana a sus orígenes cuando, en el mesolítico, pescadores y cazadores, seguidos de los primeros cultivadores de la tierra y del ganado, roturaron allí algunos claros ampliados para atender a las necesidades de poblaciones convertidas en sedentarias, espacios que en suma no eran más que islotes en los macizos forestales y orillas de los cursos de agua. El tránsito de los paisajes naturales a los paisajes de cultivo, en el más amplio sentido de la expresión, fue obra de las poblaciones célticas, que transformaron vastas extensiones de desmontes en tierras de labor y, más tarde, de los romanos, que fundaron ciudades, construyeron ciudades y castillos y tendieron las primeras calzadas. Todavía en aquella época, la zona media del País Helvético, en particular las tierras bajas, larga y ancha depresión geográfica que va desde el Ródano y el Léman hasta el Rin y el lago de Constanza, formaba una especie de «isla» alargada, cubierta de una densa red de explotaciones agrícolas y de lugares habitados entre el Jura, apenas explorado, por una parte, y por otro lado las alturas cubiertas de bosque todavía impenetrables de los Prealpes hacia el Sur y el Suroeste. Solamente las calzadas romanas enlazaban esta entidad especial con el mundo exterior.

Las grandes invasiones pusieron fin, durante cierto tiempo, a este aislamiento. Fue entonces cuando se instalaron, junto a una población céltica y rética romanizada y en parte diezmada, en parte replegada en las montañas, tribus germánicas que van a cambiar el carácter étnico del país: los Alamanos entre el Rin y los lagos de Biel y de Thun, que también poblaron una serie de los valles de los Alpes septentrionales y, más tarde, incluso los Alpes centrales; los Burgundios y los Lombardos, que penetraron por vías apartadas en las áreas que iban a constituir la Suiza románica y el Tesino, pero que no lograron, a largo plazo, imponerse sobre los autóctonos, y que se fundieron con la población indígena. Y fue de esta manera como se fue perfilando esta particularidad lingüística del futuro Estado suizo que ha asombrado al mundo: el tetralingüismo de sus habitantes –los Suizos alemánicos hablan alemán, los Suizos románicos son francófonos, los Tesineses son de lengua italiana y los Retorrománicos han conservado su idioma de rica sonoridad, el romance, en los altos valles de los Grisones, diversificado en múltiples dialectos.

Durante la Edad Media se fueron conquistando progresivamente nuevas tierras al medio ambiente, desde las regiones cubiertas de bosque de la Meseta situadas en zonas altas y en los Prealpes, hasta las crestas del Jura, pasando por toda una serie de elevados valles en los Alpes. Al realizarse esto el paisaje impuso una compartimentación a las poblaciones de las montañas, la cual constituye el origen de un particularismo «insular», esta vez a nivel de los valles.

Las comunidades rurales y urbanas se dotaron de formas de organización autónomas en los aspectos jurídico, político y económico, de las que se hallan algunas huellas, cuando no la franca supervivencia, en la trama de la Confederación actual. Frente a los peligros que podían amenazarlas, se unían y ponían en pie tropas comunes, sin dejar por ello de conservar su independencia en el dominio político. La antigua Confederación, la de los XIII Cantones, o Antiguo Régimen, nació de la asociación de los tres cantones ribereños del lago de los Cuatro Cantones (ascendiendo los tres mosqueteros a cuatro con Lucerna), esto es, los Cantones de la Suiza llamada primitiva: Uri, Schwyz y Unterwalden, a los que se unieron sucesivamente Glarus, Zug y Appenzell, pero también comunidades urbanas importantes que extendían su influencia sobre las zonas rurales circundantes: Zürich, Berna, Lucerna y, más tarde, Friburgo, Solothurn, Basilea y Schaffausen. A estos trece Cantones soberanos venían a agregarse los países súbditos comunes y los Estados aliados. Esta Unión de Estados cubría un territorio que equivalía, aproximadamente, al de la Suiza actual. Después de la redistribución territorial efectuada en la época napoleónica, Suiza se convirtió, en 1848, en un Estado federal.

Al término de esta rápida e inevitablemente incompleta ojeada sobre la geografía y la historia suizas, el lector (o lectora) podría sentir la tentación de creer que este país es, por la fuerza de los hechos, un país que se ha mantenido conservador e incluso anclado en tradiciones arcáicas. No hay nada de esto. Basta con echar una mirada sobre el paisaje urbano contemporáneo, sobre el florecimiento vertiginoso de su economía, de su comercio y de sus transportes –sobre todo en estos últimos decenios– para convencerse. Evidentemente conviene tener en cuenta otro factor cuya influencia se ha ejercido a partir de la Reforma, y particularmente después de la industrialización del país en el siglo XIX. La Reforma, que consiguió implantarse en ciertas grandes ciudades y en sus zonas rurales circundantes, así como la afluencia de los refugiados hugonotes, introdujeron nuevas ideas y, por consiguiente, un verdadero ingrediente de cultura. Por otra parte, en las regiones que permanecieron católicas, la Contrarreforma echó los fundamentos de un sistema de educación renovada. El impulso de la industria y del comercio en los siglos XVIII y XIX fue desarrollado también por una ética laboral poco frecuente. Y ante la falta de recursos minerales, no quedaba a los Suizos otra solución que especializarse en producciones de alta calidad unidas a las industrias de transformación y aptas para la exportación. Una vez lanzada en esta dirección, la nación suiza conoció rápidamente la prosperidad y un alto nivel. Sin una disciplina constante de trabajo, sin permanentes esfuerzos infatigables desde la mañana a la noche –¡los suizos son una nación que madruga!– y sin un elevado nivel de conocimientos profesionales, los suizos no habrían alcanzado el grado de desarrollo del que se sienten orgullosos, con razón.

He aquí algunos hechos que conviene tener presentes cuando se entra en Suiza como turista. La Suiza de las vacaciones es muy distinta de la Suiza del trabajo, la Suiza cotidiana, como la ha llamado Werner Kämpfen, y sin embargo, comparando estas dos formas de la realidad helvética, nos damos cuenta de que serían difícilmente concebibles tanto la una como la otra, sin una apertura completa al mundo, sin estrechas relaciones recíprocas con los países próximos y lejanos. Así pues, si deseamos mantener la imagen insular, tenemos que completarla con ayuda de una red de comunicaciones por encima de las separaciones naturales e históricas.

Inevitablemente, este contraste entre la necesidad de abrirse al mundo exterior y la voluntad de conservar el carácter nacional original, es una fuente de conflictos. La estructura federalista del Estado, con más de 3000 comunidades locales y con 26 Cantones de desigual importancia, pero todos ellos iguales en derechos, responde al deseo de los ciudadanos, que son llamados, en un sistema de democracia directa y de referéndum, no sólo a elegir las autoridades sino también a definirse, en forma soberana, en cuanto a toda una serie de cuestiones esenciales a lo largo del año. De donde resulta una tendencia, a veces intensificada, ya por el hecho de la regionalización anteriormente descrita, a aislar la «isla» helvética, espacial y temporal, de las grandes corrientes internacionales, en lugar de buscar contactos razonablemente ampliados con el mundo exterior.

La presente obra, com imágenes visuales, será cierta-

mente encantadora para la vista por el reflejo de las bellezas naturales de nuestro país; también llevará al lector a penetrar más en la realidad cotidiana de la vida de sus habitantes, repartida entre las duras exigencias del trabajo y su indispensable corolario de fiestas y esparcimientos.

Walter Leu
Director de la Oficina Nacional Suiza del Turismo

Die französischsprachige Schweiz

Von Ausländern wird oft die Frage aufgeworfen, weshalb man in diesem westlichen Landesteil leichter atme, warum Orientalen und Amerikaner, Afrikaner und Ostasiaten sich in Genf und Lausanne, ja selbst in Neuenburg und Freiburg sogleich zu Hause fühlen und sich hier weniger beobachtet, weniger fremd vorkommen. Liegt es an der französischen Zunge, dieser Literatursprache par définition? Oder ist es das Klima, die mildere Luft, die Parklandschaft des Freiburger- und Waadtlandes, die solche Wunder vollbringen? Als Tagungsort von weltgeschichtlicher Bedeutung, Sitz des Roten Kreuzes und anderer internationaler Organisationen, dank zahlreicher Niederlassungen überseeischer Körperschaften und Institutionen hat die westschweizerische Metropole stets eine kosmopolitische Rolle gespielt. Genf hat immer in die Welt hinaus gewirkt. Von dort aus versuchte Calvin sein Heimatland Frankreich zu reformieren, womit eine der gewaltigsten Erneuerungsbewegungen der Geschichte mit unabsehbaren Folgen ihren Anfang nahm; in Ferney residierte Voltaire, das greise Haupt der Aufklärung, der auch Rousseau auf seine Weise diente, während sein Briefroman «La Nouvelle Héloïse» entscheidend zur Geburt der Romantik, «Emile» zur Entwicklung moderner Erziehungsgedanken beitrug. Pestalozzi entfaltete seine Lehrtätigkeit zu Yverdon, woraus die Tradition westschweizerischer Erziehungsinstitute hervorging, die teilweise Weltruf erlangten und mittelbar den Fremdenverkehr begünstigten; auch das Wirken berühmter Ärzte, vorbildlich geführte Kliniken zogen Träger grosser und grösster Namen in diese gesegnete Gegend. Sie kehrten oft als Erholungsuchende wieder, nun aber in den Hotelpalästen von Montreux, Ouchy oder Genf absteigend. Und welchen Zauber übten die Ufer des Genfersees erst auf schöpferische und nachschaffende Künstler aus: viele weltbekannte Koryphäen des Konzertsaals, der Palette, der Leinwand liessen sich in der Westschweiz nieder, deren unvergleichliche Naturstimmung Liszt und Tschaikowsky, Madame de Charrière und George Sand in Bann gezogen hatte. Mit Frankreich und Italien gehörte die Schweiz, besonders der französischsprachige Landesteil, schon im achtzehnten Jahrhundert zum Programm des «Grand Tour» bildungsbeflissener junger Briten aus grossem Hause. Der Historiker Edward Gibbon lebte jahrelang in Lausanne; im Schloss Coppet hielt Madame de Staël ihren Musenhof, wo August Wilhelm Schlegel und Benjamin Constant die Ideen des Liberalismus und der Toleranz verkündeten, nachdem schon Goethe, Byron und Shelley die «intellectual beauty» des Genfersees besungen hatten.

Noch tiefere Bezüge sind aufzudecken; denn zur französischsprachigen Schweiz gehört, zu Füssen der unberührten Waldlandschaft des Jura, der Neuenburgersee mit dem klassischen Hintergrund klar gezeichneter Hügel und dem seichten Ufer von La Tène, dessen vorgeschichtliche Funde einem wichtigen Abschnitt unseres Erdzeitalters den Namen schenkten; hier blühte auch die erstaunliche Zivilisation der Pfahlbauer. Aventicum war die Hauptstadt des keltischen Helvetien und weist bedeutsame Überreste aus römischer Zeit auf, als der spätere Kaiser Vespasian dort geboren wurde; romanische Baukunst lebt in den Kirchen von Payerne, Romainmôtier, St-Sulpice, gotische Formen sind an den Kathedralen von Lausanne, Freiburg und Genf zu bewundern. Doch das kirchliche und aristokratische Erbe, mag dieses sich auch heute noch in manchen Schlössern und Herrensitzen der Westschweiz prachtvoll spiegeln, tritt dennoch im Gesamtbild zurück vor den Zeugen bürgerlich-gewerbefleissiger Städte. Rousseau war der Sohn eines Genfer Uhrmachers – und diese Kunst hat in den letzten zweihundert Jahren viel zum Ruhme der Kantone Genf, Neuenburg und des Jura beigetragen. Ganz ihrem Geiste zuzuschreiben ist die um 1800 nach einer Feuersbrunst auf dem Reissbrett entstandene, rechtwinklig-rationale Stadtanlage der Uhrenmetropole La Chaux-de-Fonds, wo Le Corbusier geboren wurde, einer der grössten Architekten unserer Zeit.

Das Stichwort «Bürgertum» lässt an die Renaissance denken, deren Baustil viele alte Häuser westschweizerischer Städte verpflichtet sind, während der Klassizismus des achtzehnten Jahrhunderts der einstigen preussischen Exklave Neuenburg sowie mancher Altstadt dieses Teiles der Schweiz Klarheit und Strenge aufprägte. Seinen tiefsten Reiz gewinnt das harmonische Seen- und Hügelland jedoch durch die Tatsache, dass die Stadt sich dennoch nirgends vordrängt, dass englischer Rasen, uralte Wipfel und Blumenbeete im Gegenteil überall ins Weichbild dringen. – Schliesslich stammt der berühmte Greyerzer Käse aus dem Kanton Freiburg, dessen bezaubernd erhaltenes, schlossüberragtes Landstädtchen Gruyères diesem köstlichen Erzeugnis schweizerischer Milchwirtschaft den Namen lieh, was dem ererbten und gehegten Sinn für die guten und heitern Dinge des Lebens zuzuschreiben sein mag, dem man in manchen Volkstypen der Westschweiz begegnet. Schon die Römer, durch die Griechen geschult, überall die schönsten Plätze für ihre Niederlassungen zu erküren, bevorzugten die weichen Höhenzüge und sanften Täler dieser reizvollen Gegend. Sie hatten den Wein an die windgeschützten Sonnenufer am Bieler-, Neuenburger- und Genfersee gebracht – die Gabe des Bacchus, die in dem ganzen Landstrich zwischen Bern und Burgund, Savoyen und Basel einen Hauch lateinischer Heiterkeit, eine «douceur de vivre» lebendig werden liess, die sich sonst nur in südlichen Breiten findet.

La Suisse occidentale et le Jura

Dans cette partie occidentale de la Suisse, l'étranger, qu'il vienne du Proche ou de l'Extrême-Orient, de l'Amérique ou de l'Afrique, se demande pourquoi l'air lui est plus léger et l'entourage plus familier. Qu'il réside à Genève ou à Lausanne, à Neuchâtel ou à Fribourg, il suscite moins de curiosité qu'ailleurs, il se sent moins étranger. Est-ce l'envoûtement de la langue française? Est-ce le climat moins âpre, plus clément? Est-ce le charme agreste du paysage fribourgeois ou vaudois? Ville de conférences où se trame l'avenir, berceau et siège de la Croix-Rouge et d'innombrables organisations internationales, la ville de Genève, par les institutions qui ont convergé vers elle de tous les continents, joue aujourd'hui un des grands rôles sur la scène du monde. Cette vocation n'est pas nouvelle.

C'est de Genève déjà que, voici plus de quatre siècles, le Français Calvin tentait de propager dans son pays la Réforme, qui allait changer le cours de notre évolution spirituelle. Plus tard, c'est à Ferney que résida Voltaire, l'illustre vieillard du siècle des lumières, tandis que, non loin, le Genevois Rousseau donnait naissance au romantisme par son roman épistolaire «La Nouvelle Héloïse» et renouvelait dans «Emile» la conception de l'éducation. Suivant ses traces, Pestalozzi dispensa à Yverdon son enseignement. Ainsi se forma la tradition des instituts pédagogiques de Romandie, dont la renommée s'est répandue dans le monde, et le tourisme suisse en bénéficie. Enfin, on ne saurait oublier les cliniques modèles et leurs éminents médecins. Elles attirent les célébrités de partout, que l'on voit souvent revenir plus tard dans les palaces de Montreux, de Genève ou d'Ouchy pour y raffermir leur santé. De tout temps, les rives du Léman ont inspiré les artistes; nombreux sont les musiciens, les peintres, les écrivains qui, sur les traces de Liszt, de Tchaïkovski, de Courbet, de Mme Charrière, de George Sand, ont habité ces parages propices aux muses. A l'instar de l'Italie et de la France, cette partie latine de la Suisse complétait le «grand tour» qu'une jeune élite britannique, avide de culture, avait coutume d'accomplir sur le continent. L'historien Edward Gibbon résida longtemps à Lausanne; Mme de Staël réunissait au Château de Coppet sa cour littéraire où brillaient les défenseurs du libéralisme et de la tolérance: August Wilhelm de Schlegel et Benjamin Constant. De plus illustres, Goethe, Byron, Shelley, captivés par les rives du même lac, en célébraient le charme et l'«intellectual beauty».

Mais d'autres aspects de ce pays attachant méritent d'être signalés. C'est en Suisse romande que se déploie, au pied de la chaîne boisée du Jura, sur la toile de fond des collines, le lac de Neuchâtel, où la zone côtière de La Tène, avec les restes de ses palafittes, a donné son nom à une époque importante de la préhistoire. Avenches, après avoir été la capitale de l'Helvétie celtique, devint l'Aventicum des Romains (lieu de naissance de l'empereur Vespasien) dont subsistent de nombreux et remarquables vestiges. Les églises de Payerne, de Romainmôtier, de Saint-Sulpice sont des modèles de l'architecture romane, tandis que l'on doit au génie gothique les admirables cathédrales de Lausanne, de Fribourg et de Genève. Mais si riche que soit l'héritage d'une époque où dominaient l'Eglise et l'aristocratie, et qui nous a laissé tant de châteaux et de belles résidences, le vrai trésor de ce pays consiste surtout dans ses villes que bourgeois et artisans ont laborieusement édifiées. Rousseau était le fils d'un horloger genevois; l'art auquel son père se vouait, perfectionné par des générations d'artisans de Genève, de Neuchâtel et du Jura, est aujourd'hui renommé jusqu'aux confins de la terre. On doit à l'esprit de précision qu'il exige le plan urbain rectiligne et rationnel de La Chaux-de-Fonds, capitale de l'horlogerie qui fut reconstruite en 1800 après avoir été ravagée par un incendie. C'est dans cette ville schématique que l'illustre architecte Le Corbusier a vu le jour.

La bourgeoisie évoque la Renaissance, à laquelle se rattache plus d'une demeure d'autrefois, tandis que le classique XVIIIe siècle a marqué de son style tout de rigueur et d'élégance les vieux quartiers de maintes cités romandes, et surtout de Neuchâtel, jadis capitale d'une principauté. Mais nulle part le charme des harmonieux paysages de lacs et de collines n'est rompu par les agglomérations urbaines que cernent de tous côtés le gazon anglais, les pelouses fleuries et les cimes millénaires. Voici enfin, dans le canton de Fribourg, une merveilleuse bourgade d'antan autour de son château comtal: c'est Gruyères dont le nom, attaché au produit de ses fromageries, s'est répandu dans le monde, symbole de la sérénité réaliste du peuple romand et du culte qu'il porte aux choses délectables d'ici-bas. Déjà les Romains avaient élu, pour y résider, les lieux les plus plaisants de cette séduisante contrée. Ils y avaient implanté la vigne, don de Bacchus, sur les coteaux ensoleillés et abrités des vents qui dominent les lacs de Bienne, de Neuchâtel et de Genève. Elle y est prospère aujourd'hui encore, imprégnant ce beau pays de gaieté et de douceur de vivre.

French Switzerland

Why is it, foreigners often ask, that there seems to be a lighter and more congenial air in the French part of Switzerland? Why do Orientals and Americans, Africans and Asians settle down at once in Geneva and Lausanne, or even in Neuchâtel and Fribourg, and feel immediately at home, less conspicuously alien? Has it something to do with the French language, pre-eminently the language of literature? Or is it the climate, the balmier air, the meadows and trees of the cantons of Fribourg and Vaud which bring about this miracle? Geneva, of course, has always been a cosmopolitan city. Meetings that have made history have taken place within its walls, it is still the headquarters of the Red Cross and other international organizations, and many overseas corporations have chosen it as a centre for their European operations. Geneva has always made its influence felt far afield. It was from here that Calvin sought to reform his native country France and thus gave the initial impetus to one of the most sweeping movements of spiritual revival history has known ith consequences no one could possibly foresee; at Ferney lived Voltaire, the grand old man of the Enlightenment, who was in his way an inspiration to Rousseau at the time when his epistolary novel "La Nouvelle Héloïse" was nourishing the roots of Romanticism and "Emile" was contributing to the formation of modern educational theory. Pestalozzi was teaching at Yverdon, thus founding the tradition of French Swiss schools which in some instances have achieved world fame and have been an indirect encouragement to tourism; then there were famous doctors practising there and excellently run hospitals which attracted the bearers of well-known and famous names to this heaven-favoured region. Often they returned to take a holiday there, staying this time in the palace hotels of Montreux, Ouchy or Geneva. And what witchery the shores of Lake Geneva has held for artists, both original and epigonous. Many eminent figures of the concert hall and studio have settled in French Switzerland, whose incomparable natural beauties cast their spell over Liszt and Tschaikovsky, Madame de Charrière and George Sand. Along with France and Italy, Switzerland and more particularly its French part figured as early as the 18th century on the itinerary of the "Grand Tour" which young Britons of good families undertook to complete their education. Edward Gibbon, the famous historian, lived for years in Lausanne; at the Château de Coppet Madame de Staël held a literary court at which August Wilhelm Schlegel, Benjamin Constant and kindred spirits proclaimed the ideas of liberalism and tolerance after Goethe, Byron and Shelley had already extolled the "intellectual beauty" of the Lake of Geneva.

Delve below the surface, and you will uncover deeper links with the past. For in French Switzerland, at the foot of the untouched forests of the Jura, lies the Lake of Neuchâtel with its classic background of sharp-etched hills and the shallow shores of La Tène, a name now given to an important period of prehistory because of the remains found there. And this was also the site of the astonishing culture of the pile-dwellers. Aventicum was the capital of Celtic Helvetia and has important remains from the Roman period when Vespasian, who later became Emperor, was born there; Romanesque architecture is preserved in the churches of Payerne, Romainmôtier, St-Sulpice, and the Gothic style can be admired in the cathedrals of Lausanne, Fribourg and Geneva. Yet this ecclesiastic and aristocratic heritage, however resplendently it is still reflected in many castles and country houses, occupies but a minor part in a picture dominated by the trade and civic achievements of the cities.

Rousseau was the son of a Geneva watchmaker, and during the past two centuries watchmaking was contributed a great deal to the fame of the cantons of Geneva and Neuchâtel and of the Jura. The rational gridiron layout of La Chaux-de-Fonds, the capital of the watch industry, was due to the mental habit of the watchmakers when about 1800 a new city was designed on the drawing board after the old had been destroyed in a disastrous conflagration. This is the birthplace of Le Corbusier, one of the greatest architects of our day.

The mention of civic achievements conjures up the Renaissance, and the style of this period is in fact implicit in many old houses in the cities of French Switzerland, whereas the Neoclassicism of the 18th century has impressed its clarity and severity on the erstwhile Prussian exclave of Neuchâtel and on the old parts of many other towns in this region. The harmonious landscape of lakes and hills, however, derives its most potent charm from the fact that nowhere does the town intrude brashly but rather admits into its suburbs English lawns, ancient treetops, and flower-beds. And, to strike a gastronomic note, Fribourg is the home of the famous Gruyère cheese. This tasty product of the Swiss dairy industry derives its name from the little country town of Gruyères where, under the shadow of the castle, time seems to have stood still. This delicious cheese is not doubt a testimony to that feeling for the good things of life which is found in many breeds of men in French Switzerland and which, although no doubt a hereditary trait, they have taken pains to cultivate. Even the Romans of old, taught by the Greeks to select the most delectable places for their settlements, showed a predilection for the gentle hills and smiling valleys of this charming region. And they brought to the sheltered sunblessed shores of the lakes of Bienne, Neuchâtel and Geneva the vine—that gift a Bacchus which nurtures in the whole region between Berne and Burgundy, Savoy and Basle, a breath of that Latin light-heartedness, that "douceur de vivre" which is otherwise to be found only in southern climes.

La Suiza occidental y el Jura

En esta parte occidental de Suiza, el extranjero, venga del próximo o del lejano Oriente, de América o de Africa, se pregunta por que respira más fácilmente y el ambiente le es más familiar. Ya resida en Ginebra, en Lausana, en Neuchâtel o en Friburgo, suscita menos curiosidad que en otras regiones y se siente menos extranjero. ¿Es el hechizo de la lengua francesa? ¿Será el clima menos áspero y más clemente? ¿O es tal vez el encanto agreste del paisaje de los cantones de Friburgo o de Vaud? Ginebra –ciudad de conferencias donde se forja el porvenir, cuna y sede de la Cruz Roja y de numerosas organizaciones internacionales– es hoy uno de los grandes centros mundiales. La vocación cosmopolita de la metrópoli de Romandía –así suele llamarse la Suiza de habla francesa– es ya tradicional. Hace ya más de cuatro siglos, fue desde Ginebra que el francés Calvino trató de introducir en su país la reforma que iba a modificar el rumbo de nuestra evolución espiritual. Más tarde, Voltaire, el ilustre anciano del Siglo filosófico, se estableció en Ferney, al tiempo que, cerquísimo de allí, el ginebrino Rousseau creó el romanticismo con su novela epistolar «La Nueva Eloísa» y renovó, en «Emilio», el concepto de la educación. Siguiendo sus huellas, Pestalozzi enseñó en Yverdón. Así se formó la tradición de las instituciones pedagógicas de Romandía, cuya fama se ha extendido por el mundo entero y ha fomentado considerablemente el turismo helvético. Tampoco han de omitirse las clínicas ejemplares y sus médicos eminentes. Atraen a las personas célebres de todos los continentes, que muy a menudo vuelven más tarde a los hoteles de lujo de Montreux, de Ginebra o de Ouchy, para consolidar allí su salud. En todas las épocas, las orillas del lago de Ginebra inspiraron a los artistas; forman legión los músicos, pintores y escritores que, a ejemplo de Liszt, de Chaikovski, de Courbet, de Madame de Charrière, de Jorge Sand, habitaron estos parajes propicios a las musas. Con Italia y Francia, esta parte latina de Suiza completaba la «gran gira» que un grupo de jóvenes de la alta sociedad británica, ávido de cultura, solía realizar por el continente. El historiador Eduardo Gibbon residió mucho tiempo en Lausana; Madame de Staël reunía en el palacio de Coppet su corte literaria, donde brillaban los defensores del liberalismo y de la tolerancia: Augusto Guillermo de Schlegel y Benjamín Constant. Otras figuras ilustres, entre ellas Goethe, Byron, Shelley, quedaron cautivadas por las orillas lemánicas y cantaron su hechizo y su «belleza intelectual».

Pero merecen señalarse también otros aspectos de este país tan atractivo. En la Suiza de habla francesa se extiende, al pie de la cordillera boscosa del Jura, delante del admirable telón de fondo de las colinas, el lago de Neuchâtel, donde la zona costera de la Tène, con los restos de sus palafitos, dio su nombre a una época importante de la prehistoria. Avenches, después de haber sido la capital de la Helvecia céltica, se hizo romana y se convirtió en Aventicum (donde nació el emperador Vespasiano), de cuya ciudad subsisten numerosos y notables vestigios. Las iglesias de Payerne, de Romainmôtier, de Saint-Sulpice, son modelos de la arquitectura románica, mientras que el arte gótico inspiró a los constructores de las magníficas catedrales de Lausana, de Friburgo y de Ginebra. Pero, por rica que sea la herencia de una época en que dominaban la Iglesia y la aristocracia y que nos dejó tantos castillos y hermosas residencias, el verdadero tesoro de este país consiste ante todo en sus ciudades, laboriosamente edificadas por sus burgueses y artesanos. Rousseau era hijo de un relojero ginebrino; el arte a que su padre se había consagrado, perfeccionado por generaciones de artífices de Ginebra, de Neuchâtel y del Jura, es hoy renombrado hasta los confines de la tierra. Al espíritu de precisión inherente a esta actividad, se debe la urbanización rectilínea y racional de La Chaux-de-Fonds, metrópoli relojera que fue reconstruida en el año 1800, después de haber sido asolada por un incendio. En esta ciudad esquemática nació el ilustre arquitecto Le Corbusier. La burguesía evoca el Renacimiento, de cuya época subsisten numerosas casas solariegas antiguas, mientras que el clásico siglo XVIII marcó con su estilo, todo de rigor y de elegancia, los barrios viejos de muchas ciudades de Romandía y, más que nada, de Neuchâtel, capital que fue de un principado. Pero, en ninguna parte, el encanto de los paisajes tan armoniosos de lagos y de colinas es estorbado por las aglomeraciones urbanas, rodeadas por todos los lados de césped inglés, praderas floridas y cimas milenarias. Y he aquí, finalmente, en el cantón de Friburgo, un maravilloso pueblo medieval, agrupado alrededor de su castillo: se trata de Gruyères, cuyo nombre –unido al producto de sus queserías– se conoce en el mundo entero, símbolo de la serenidad realista del pueblo de Romandía y del culto que practica para las cosas deleitables de esta tierra. Ya los romanos habían escogido, para sus residencias, los lugares más agradables de esta región tan seductora. En ella implantaron la viña, don de Baco; la cultivaron en las laderas soleadas y protegidas de los vientos, que dominan los lagos de Bienne, de Neuchâtel y de Ginebra. En toda esta zona, la viticultura sigue siendo próspera en nuestros días aún, e impregna este hermoso país de alegría y de placer de vivir.

← Gesamtansicht von Genf
mit dem Springbrunnen und
dem Mont-Salève
als Wahrzeichen der Stadt

Vue générale de Genève
avec le Salève
et le jet d'eau de la rade

General view of Geneva and
its two landmarks, Mont Salève
and the fountain in the harbour

Vista general de Ginebra,
con al Monte Salève
y el surtidor del puerto

Wochenmarkt →
auf der Place de la Palud
in Lausanne,
im Hintergrund das Rathaus

Marché à la Place de la Palud,
à Lausanne,
avec l'Hôtel de Ville

Weekly market at the
Place de la Palud in Lausanne;
in the background the
town hall

Mercado en la Plaza
de la Palud, en Lausana.
Al fondo el Ayuntamiento

Die Altstadt von Lausanne →
wird vom gotischen Turm →
der Kathedrale dominiert

Le vieux Lausanne,
que domine la tour gothique
de sa cathédrale

The old quarter of Lausanne,
dominated by the tower
of its Gothic cathedral

La ciudad antigua de Lausana,
dominada por la torre gótica
de su catedral

← Winzerdörfer im Lavaux: Epesses, ganz von Weingärten umschlossen...

Le village d'Epesses entouré des vignobles de la côte de Lavaux...

Wine-growing villages of the Lavaux: Epesses is ringed by vineyards...

Típicas aldeas vinícolas de Lavaux: Epesses, cercada de viñedos...

...St-Saphorin, an den sonnigen Uferhängen des Genfersees gelegen

...le village de St-Saphorin, sur la côte ensoleillée du Léman

...St-Saphorin, situated on the sunny shores of Lake Geneva

...el pueblo de San Saforin, sobre la orilla soleada del lago Leman

Die grandiose Szenerie des Genfersees
Le grandiose décor du Léman
The pittoresque scenery of Lake Geneva
Panorámica del lago de Ginebra

← Mit der Bergbahn unterwegs von den Gestaden des Genfersees auf die 2045 m hohe Aussichtsterrasse der Rochers-de-Naye

Un funiculaire conduit les touristes des rives du Léman au belvédère des Rochers-de-Naye, à 2045 m d'altitude

This mountain railway speeds passengers from the shores of Lake Geneva to the observation terrace at the top of Rochers-de-Naye (6700 ft.)

En el funicular que conduce de las riberas del lago de Ginebra al mirador de las Rochers-de-Naye, a 2045 m de altitud

Kühnheit der Technik: die Luftseilbahn auf den Glacier des Diablerets, in den Waadtländer Alpen

Audace de la technique: le vertigineux téléphérique du Glacier des Diablerets, dans les Alpes vaudoises

An intrepid engineering feat: the aerial cableway to the Diablerets Glacier in the Vaud Alps

Audacia de la técnica: el teleférico alpino sobre el glaciar de los Diablerets, en el cantón de Vaud

← Mit der Silhouette des Moléson verwachsen: der Schlosshügel von Greyerz

Château de Gruyères et Moléson: décor caractéristique des Préalpes

The castle hill at Gruyères merges into the silhouette of the Moléson

La colina y castillo de Gruyères, confundidos con la silueta del Moléson

Die Altstadt von Freiburg, ein Juwel mittelalterlicher Architektur

La vieille ville de Fribourg: joyau d'architecture médiévale

The old quarter of Fribourg, a gem of medieval architecture

El barrio antiguo de Friburgo, una joya de arquitectura medieval

Verwinkelte Häuser, steile Gassen und Treppen: die Altstadt von Neuenburg

Neuchâtel: une rue de la vieille ville

Crooked houses, steep streets, and stairways in old Neuchâtel

Callejas empinadas, llenas de rincones: los barrios antiguos de Neuchâtel

Volksfest von urwüchsiger Kraft: Marché-Concours in Saignelégier

Fête populaire débordant de naturel: Marché-Concours à Saignelégier

The «Marché-Concours» at Saignelégier is a full-blooded country fête

Fiesta de vigor popular, el «Marché-Concours» de Saignelégier, en el Jura

Pferdeweiden in den Freibergen bei La Bosse →

Pâturage de chevaux à La Bosse, dans les Franches-Montagnes

Horses grazing in the little village of La Bosse in the Franches-Montagnes

Pasto de caballos en La Bosse, Francas-Montañas

Winter am Lac de Joux,
ein unvergessliches Erlebnis

Le lac de Joux en hiver, un spectacle inoubliable

The Lac de Joux in wintertime, an unforgettable scene

El lago de Joux en invierno,
un espectáculo inolvidable

Der Doubs – →
windungsreicher Grenzfluss zwischen der Schweiz und Frankreich

Les sinuosités du Doubs à la frontière entre la Suisse et la France

The River Doubs – its winding course marks the Franco-Swiss frontier

Las sinuosidades del Doubs marcan la frontera entre Suiza y Francia

Vom Chasseral umfasst der Blick das →
Seeland bis zu den Alpen →

Du sommet du Chasseral, la vue s'étend jusqu'aux Alpes

View from the Chasseral over the lakes to the Alps

Del monte Chasseral, se ve el paisaje desde los lagos hasta los Alpes

Die Nordwestschweiz

Während im Bewusstsein lateinischer Völker und des Orients oft Genf und Lausanne die Schweiz schlechthin verkörpern, erscheint manchen Deutschen und Nordamerikanern auf den ersten Blick Basel als wichtigste Stadt der Eidgenossenschaft. Dank Europas grosser Wasserstrasse, des Rheins, ist Basel seit Jahrhunderten mit Weite und Weltmeer verbunden. Geister vom Format Jacob Burckhardts, Bachofens und Nietzsches haben von hier aus moderne Wissenschaft und modernes Denken entscheidend beeinflusst, während die Stadt selbst kulturellen Strömungen mit ganzer Seele offenstand, Fremden oftmals Schutz und Schirm in ihren Mauern bietend. Im Hauptort des Kantons Baselland, Liestal, kam der Schweizer Nobelpreisträger für Literatur Carl Spitteler zur Welt. Zwei Namen trugen indessen ganz besonders zum Ruhme Basels bei: Holbein und Erasmus. Ihr Wirken erhob die Stadt am Rheinknie zu einem geistigen Mittelpunkt der Renaissance; gleichzeitig entwickelte sich, aus Italien kommend, das Bankwesen der Neuzeit. Basel wurde rasch zu einem Hauptumschlagsplatz des europäischen Binnenhandels und Wechselgeschäftes. Wohlstand und Überlieferung verleihen den Bewohnern jene Selbstsicherheit, die ihnen eine ironische Distanz zu den Dingen und Ereignissen gestattet, wie sie anderswo in Helvetien kaum gedeiht. Die exponierte Lage an der Dreiländerecke, wo keltisch-französische Geistigkeit mit rheinisch-germanischem Humor und Tiefsinn sich zum sprichwörtlichen Basler Witz verdichten, bringt es mit sich, dass der Blick stets über die eigenen Grenzen hinaus gerichtet ist, was sich nicht zuletzt in den Sammlungen mit ihren unvergleichlichen Schätzen aus der Kunst aller Zeiten und Länder spiegelt.

Wie es rheinischer Kühnheit und Zähigkeit bedurfte, um jene chemische Industrie aufzubauen, deren Marken längst auf dem Weltmarkt eingeführt sind, so erfordert es viel baslerische Gelassenheit, menschliche Überlegenheit, grossstädtische Vorurteilslosigkeit, um alljährlich für ein paar Tage das Unterste zuoberst zu kehren und sich von Grund aus über sich und das Leben lustig zu machen. Der rheinische Karneval ist zwar ursprünglich die christliche Ausprägung eines spätrömischen Festes zur Verherrlichung der Frühlingsgöttin Nehalennia, die auf einem «carrus navalis», einem auf Räder gehobenen Schiff, zur Scheldemündung hinuntergezogen und begeistert bejubelt wurde. Die Tatsache, dass sich in der Schweiz einzig an ihrer nordwestlichen Ecke eine echte Fasnacht in buntester Ausgelassenheit zu erhalten vermochte, hat ihre besondern Gründe: man nimmt sich und das Leben in Basel nicht gar so ernst. Wer die Schweiz erstmals in Basel betritt, steht ganz unter dem Eindruck der hochindustrialisierten Tiefebene, die die Stadt umgibt und die sich nur schwach von Elsass und Baden unterscheidet. Erst wenn der Blick südwärts schweift, gewahrt man, wie sehr diese Landschaft dennoch zum Bild der Eidgenossenschaft gehört. Denn Basel, von wo aus man im Expresszug, auf der Strasse oder mit dem Flugzeug im Nu nach Paris oder Frankfurt gelangt, liegt fast unmittelbar am Nordfuss des Jura, dessen Umrisse das Antlitz der Gegend umrahmen. Südlich des langgestreckten Gebirgszuges mit seinen bewaldeten Hängen, ockergelben Felsen und trutzigen Burgen liegen Solothurn und Biel in jene Parklandschaft gebettet, die ihre nahe Verwandtschaft mit der Westschweiz in mancher Beziehung kundgibt. Sowohl Basel wie Solothurn waren römische Siedlungen, wobei allerdings das östlich des Rheinknies gelegene Augusta Rauracorum die weitaus grössere Ausdehnung hatte; gleich Avenches besitzt Augst, wie es heute heisst, sehenswerte Ausgrabungen. Als Bischofssitz war Basel im Mittelalter reichsunmittelbare Stadt – die Residenz der geistlichen Würdenträger erhob sich auf der Pfalz, von deren Plattform man den eindrucksvollsten Blick auf das spitzgiebelige, durch den majestätischen Strom geprägte Weichbild geniesst.

Seit der Reformation residiert der Bischof von Basel am Südfuss des Jura, in Solothurn, einer überlieferungsreichen Stadt, die schon durch die Kelten besiedelt war. Solothurn heisst die «Ambassadorenstadt», weil dort von 1522 bis 1792 der bei der Eidgenossenschaft beglaubigte Botschafter des französischen Königreichs seinen Sitz hatte. Ein städtebauliches Kleinod des Barocks, spiegelt sich Solothurn in den Fluten der Aare, die hier breit und ruhig dem Rhein zufliesst. An der St.-Ursen-Kathedrale, der üppig ausgeschmückten Jesuitenkirche, am gleichfalls barocken Rathaus fand der in der Umgebung gebrochene Marmor reichlich Verwendung. Sein kühles Weiss setzt dem Überschwang der Formen einen wohltuenden Gegenakzent. Rings um die schöne Kantonshauptstadt entzücken Edelsitze inmitten herrlicher Parkanlagen das Auge. Zweisprachig ist Biel, französisch Bienne geheissen, am Nordwestzipfel des Bielersees und hart am Fusse des steilen Chasseral gelegen, Mittelpunkt schweizerischer Präzisionsindustrie und mit einem fast vollkommen erhaltenen Kern, wo das Mittelalter in seiner ganzen Hermetik und Poesie lebendig blieb.

Unter den vielen alten Burgen der Nordwestschweiz ragt das Wasserschloss Hallwil hervor, während von Basel rheinaufwärts eine Flusslandschaft mit prachtvollem Baumbestand und stillen Marktflecken den Reisenden umfängt. Im einstigen Kloster Königsfelden bei Brugg leuchten kostbare Glasfenster in den Dämmer der Kirche. Unweit davon liegen Überreste des römischen Stützpunktes Vindonissa, ragt die Ruine der Habsburg und das ins Tal gezwängte Industriezentrum Baden, im Mittelalter Residenzstädtchen der Habsburger, deren Geschlecht das Schicksal Europas später in so entscheidendem Masse mitbestimmen sollte.

La Suisse du Nord-Ouest

Alors que pour les Latins et les Orientaux Lausanne et Genève, c'est la Suisse tout court, dans la perspective des Allemands et des Américains, c'est Bâle qui passe souvent au premier plan. Cette ville doit au Rhin, grande voie d'eau européenne, d'être reliée au monde et aux océans. Si les Jacob Burckhardt, les Bachofen, les Nietzsche ont influencé la science et la pensée modernes, la ville elle-même, citadelle protectrice pour tant d'étrangers, est demeurée ouverte aux courants de la culture. A Liestal, chef-lieu du canton de Bâle-Campagne, est né le poète Carl Spitteler, Prix Nobel de littérature. Les noms illustres d'Holbein et d'Erasme sont liés à la gloire et au rayonnement de Bâle au temps de la Renaissance, lorsqu'y apparaissaient aussi, venant d'Italie, les premières banques des temps modernes. Carrefour commercial et place de change, ville opulente et fière de ses traditions, comment s'étonner qu'elle confère à ses citoyens cette assurance, ce détachement ironique qui les distinguent des autres Confédérés? Dans cette marche frontière entre trois pays, l'esprit français, l'humour rhénan et la gravité germanique se sont mariés en un pétillant cocktail; le regard y embrasse un monde ouvert et ce n'est certes pas un hasard si tant de richesses artistiques de toutes les époques et de tous les pays affluent dans ses collections. A l'audace et à la persévérance qui ont permis d'ériger la puissante industrie chimique qui s'est imposée sur les marchés du monde, admirons que le Bâlois sache associer cette sérénité enjouée, cette indulgence sans préjugés, qui lui permettent, quelques jours par an, de livrer sa ville à la folie et de se gausser du monde et de lui-même. Le carnaval rhénan fut, à l'origine, une version chrétienne de la fête romaine en l'honneur de Nehalennia, déesse du printemps, que l'on tirait sur un «carrus navalis», une barque sur chariot, parmi les ovations du peuple jusqu'à l'estuaire de l'Escaut. Si la vieille tradition d'un authentique carnaval avec ses débordements joyeux s'est maintenue à Bâle seulement, c'est évidemment parce que les Bâlois ne prennent très au sérieux ni la vie ni eux-mêmes.

Celui qui, venant en Suisse pour la première fois, arrive à Bâle, est impressionné par la densité des établissements le long de la plaine qui entoure la ville et qui se prolonge, sans transition marquée, vers l'Alsace et vers Baden. Ce n'est que lorsqu'on dirige son regard vers le sud, qu'apparaissent les traits caractéristiques du paysage helvétique. Car Bâle, d'où l'on peut si rapidement gagner Paris ou Francfort par le rail, par la route ou en avion, est située presque au pied du versant nord du Jura, qui se profile à l'horizon de la ville. Au sud de cette chaîne allongée, avec ses contreforts boisés et ses roches d'ocre jaune, où se dressent çà et là les murs crénelés de quelque château, voici Soleure et Bienne, entourées de verdure et déjà si proches du Pays romand. Soleure comme Bâle étaient d'anciennes colonies romaines, non loin de l'importante cité d'Augusta Rauracorum, aujourd'hui Augst, située plus à l'est sur le Rhin, où les découvertes archéologiques rivalisent avec celles d'Avenches. Siège d'un évêché, Bâle avait le privilège de l'immédiateté impériale. La résidence des évêques s'élevait sur le Pfalz, dont l'esplanade domine le moutonnement des toits à pignons de la vieille ville et le cours majestueux du fleuve. Depuis la Réforme, l'évêque de Bâle réside au sud du Jura, à Soleure, ville riche de tradition, aux origines celtiques, qu'on nomme encore la «ville des ambassadeurs», parce que l'ambassadeur des rois de France auprès de la Confédération y résida de 1522 à 1792. Joyau architectural où domine le style baroque, elle se reflète dans les eaux paisibles de l'Aar, affluent du Rhin. On a prodigué à la Cathédrale Saint-Ours, ancienne église de Jésuites, richement décorée, comme aussi à l'Hôtel de Ville, également de style baroque, le beau marbre d'un blanc froid qu'on extrait dans les environs et dont la calme unité contraste avec l'exubérance de l'ornementation. Autour de cette belle ville, où siège le gouvernement du canton, se succèdent d'élégantes résidences entourées de leurs parcs. Bienne, ville bilingue nommée Biel en allemand, n'est pas éloignée, sur la rive nord du lac qui porte son nom, appuyée au flanc abrupt du Chasseral. Centre de l'industrie suisse de précision, elle a cependant conservé vivante, au cœur de l'agglomération moderne, l'admirable cité médiévale qui lui confère son charme et sa poésie.

Parmi les anciens châteaux forts, si nombreux dans la Suisse du Nord-Ouest, celui de Hallwil, cerné par les eaux, mérite une mention spéciale. De Bâle en amont le long du Rhin se déploie un paysage fluvial merveilleusement arborisé et clairsemé de pittoresques bourgades. On admirera dans l'église de l'ancien couvent de Königsfelden, près de Brougg, les précieux vitraux qui éclairent la pénombre de la nef et, plus loin, tour à tour les vestiges de Vindonissa, ancienne garnison romaine, les ruines du Château de Habsbourg et enfin la ville de Baden, aujourd'hui centre d'une puissante industrie, où résida au Moyen Age la dynastie des Habsbourg, dont le destin est si étroitement lié à celui de l'Europe.

North-West Switzerland

If in the minds of many Latin and Eastern nations Switzerland starts and stops in Geneva and Lausanne, there are not a few Germans and North Americans for whom Basle represents at first sight the most important city in the Confederation. Basle stands on the Rhine and this broad flood has for many centuries been a highway to the seven seas and the world beyond. Men of the intellectual calibre of Jacob Burckhardt, Bachofen and Nietzsche worked here and helped to shape the science and knowledge of a new world while the city itself has always given unstinted hospitality to new currents of thought and has often afforded a refuge within its walls to strangers in need of it. Liestal, the capital of Basle-Country, was the birthplace of Carl Spitteler, a Nobel prizeman for literature. And two names in particular added special lustre to the fame of Basle: Holbein and Erasmus. Their activities made the town on the elbow of the Rhine a focus of intellectual life in the Renaissance; at the same time modern banking, stemming from Italy, began to take root there. Basle rapidly developed into an important centre for Europe's internal trade and financial business. Prosperity and traditions endued the citizens with that self-confidence which enables them to adopt towards the world and its events an ironic and mildly aloof attitude such as is found scarcely anywhere else in Switzerland. Their exposed position at Three Countries Corner has blended the intellectuality of France with the Germanic humour and profundity of the Rhine to produce the Baslers' traditional wit and has at all times vouchsafed them an insight beyond the frontiers into the polite society of Europe and the comity of nations which is reflected in both the lofty grandeur of their Cathedral and the treasures of their art collections.

Just as it needed Rhineland boldness and tenacity to build up a chemical industry whose proprietary goods have long been established on the markets of the world, so it calls for a generous measure of Basle composure, human superiority and urban detachment to turn everything upside down for a few days once a year at carnival time and to enjoy a hearty laugh at oneself and life. The Rhineland carnival was originally a Christian version of a Late Roman festival held in glorification of Nehalennia, the goddess of the spring, who was borne down to the mouth of the Scheldt on a "carrus navalis", a ship mounted on wheels, amidst jubilant enthusiasm. And if it is only in this northwest corner of Switzerland that a real Shrovetide carnival is still celebrated with panache and exuberance, there is a good reason for it: the people of Basle do not take life or themselves over-seriously.

Visitors to Switzerland first arriving at Basle will receive an initial impression of a highly industrialized plain strechting round the city and not easily distinguishable from Alsace and Baden. Only when they turn their eyes southwards does it become apparent how much the landscape is part of the Confederation. For, although Paris and Frankfurt are virtually on the doorstep by rail, road or air, Basle stands at the foot of the northern slopes of the Jura, whose outline forms a fluent frame to the region. To the south of this long range of mountains with its wooded slopes, ochre cliffs and stout castles, stand Solothurn and Bienne in a countryside of trees and meadows which intimates their close anity in many ways with French Switzerland. Both Basle and Solothurn were Roman settlements although they were outstripped in importance by Augusta Rauracorum, which was situated to the east of the Rhine elbow; like Avenches, Augst as it is called today has excavations which amply reward a visit. Directly associated with the German Empire in the Middle Ages, Basle was the see of a bishop whose palace stood on the Pfalz, where a broad platform commands an impressive view of the tall-gabled city and its environs while, below, the Rhine proceeds on its majestic path to the sea.

Since the Reformation the bishop's residence has been on the southern side of the Jura in Solothurn, a city which stands on a Celtic site and is rich in traditions. Solothurn is known as the "Town of the Ambassadors" because it was here between 1522 and 1792 that the French ambassador accredited to the Confederation had his residence. It is replete with gems of Baroque architecture mirrored in the broad and quiet waters of the Aare, which passes by on its way to the Rhine. Marble quarried in the neighbourhood was lavishly used in the construction of the elaborately decorated Cathedral of St. Ursus, the opulently ornamented Jesuit Church, and the Town Hall, likewise in Baroque style, and the cool white of this stone is a pleasing foil to the exuberance of the architectural forms. Round about the cantonal capital country seats set in smiling parks are a delight to the eye. Both French and German are spoken in Bienne (or Biel) which stands at the north-west tip of the Lake of Bienne in the very shadow of the steepsided Chasseral. It is a centre of the Swiss precision engineering industry but the old quarter of the town has hardly been touched by the passage of time, and there the Middle Ages can be found whispering of poetry and seclusion.

The moated stronghold of Hallwil is prominent among the many castles of North-West Switzerland, and visitors travelling up the Rhine from Basle will be received by a river landscape notable for its fine trees and quiet market towns. Rich stained glass casts its dim religious light in the church of the former Abbey of Königsfelden near Brugg. Close by are the remains of the Roman base at Vindonissa while the ruin of Habsburg Casle rears its defiant silhouette against the sky; and cramped in the valley below lies the industrial town of Baden, which was in medieval times the residence of the Habsburgs, a race who were subsequently to play so crucial a part in the fate of Europe.

El Noroeste de Suiza

Así como para los latinos y los orientales, Lausana y Ginebra son sinónimos de Suiza, para los alemanes y los americanos, Basilea se sitúa en primer término. Merced al Rin –gran vía europea de agua– Basilea se encuentra en comunicación con el mundo y con los océanos. Si personas como Jacobo Burckhardt, Bachofen y Nietzsche influyeron en la ciencia y las ideas modernas, la ciudad propiamente dicha, baluarte protector para tantos extranjeros, ha permanecido siempre abierta a las corrientes culturales. En Liestal, capital del cantón de Basilea-Campiña, nació el poeta Carlos Spitteler, premio Nobel de literatura. Los nombres ilustres de Holbein y de Erasmo están ligados a la gloria y al brillo de Basilea en la época del Renacimiento, cuando en ella se establecieron, procedentes de Italia, los primeros bancos de los tiempos modernos. Basilea se convirtió rápidamente en encrucijada comercial y centro de las operaciones de cambio, en ciudad opulenta y orgullosa de sus tradiciones. A nadie le puede extrañar, pues, que confiera a sus ciudadanos esa arrogancia, esa altivez irónica que le distinguen de los otros confederados. En este centro urbano, en el cual se tocan tres países, la agudeza francesa, el humor renano y la gravedad germánica se han mezclado para formar un coctel chispeante; Basilea tiene la mirada abierta al mundo y no es ciertamente una casualidad, si a sus museos y colecciones afluyen tantas riquezas artísticas de todas las épocas y de todos los países.

Son dignas de admiración la audacia y la perseverancia, sin las cuales no habría podido eregirse la poderosa industria química que se ha impuesto en los mercados del mundo. También es admirable que los basilienses sepan asociar esta serenidad jovial, esta indulgencia sin prejuicios y esta superioridad humana, para librar su ciudad, año por año, durante pocos días, a la locura y mofarse del mundo y de sí mismos. El carnaval renano fue, en su origen, una versión cristiana de la fiesta romana celebrada en honor de Nehalennia, diosa de la primavera, que fue tirada, sobre un «carrus navalis», una barca con ruedas, entre ovaciones del pueblo, hasta el estuario del Escalda. Si la vieja tradición de un auténtico carnaval con su desenfreno de alegría se ha mantenido solamente en Basilea, es evidentemente porque los basilienses no toman muy en serio la vida ni a sí mismos. El que llega a Basilea, en su primer viaje a Suiza, queda impresionado por la densidad de los establecimientos industriales que cubren literalmente la llanura que circunda la ciudad y que se prolonga, sin transición marcada, hacia Alsacia y hacia Baden. Sólo cuando se mira hacia el Sur, aparecen los rasgos característicos del paisaje helvético. Porque Basilea, de donde se llega rápidamente a París o a Francfort por tren, avión o carretera, está situada casi al pie Norte del Jura, que se perfila en el horizonte de la ciudad. Al Sur de esta cordillera –caracterizada por sus contrafuertes boscosos y sus rocas de color ocre amarillo, coronadas muchas veces por los muros almenados de algún castillo– se encuentran Soleura y Bienne, rodeadas de verde e inmediatas ya a Romandía. Como Soleura, Basilea había sido colonia romana, muy cerca de la importante ciudad de Augusta Rauracorum –hoy Augst– sita más al Este en el Rin. Allí, los descubrimientos arqueológicos rivalizan con los de Avenches. Sede de un obispado, Basilea tenía el privilegio de estar ligada, en la edad media, directamente al imperio vecino. Desde la explanada de la residencia de los obispos, se tiene la vista más impresionante sobre la ciudad, los tejados puntiagudos y el río majestuoso.

Desde la reforma, el obispo de Basilea reside al Sur del Jura, en Soleura, ciudad rica en tradiciones, de origen céltico. Aun hoy en día, se la llama la «ciudad de los embajadores», porque el embajador de los reyes de Francia en la Confederación residía en ella de 1522 a 1792. Joya arquitectónica, en la que domina el estilo barroco, se refleja en las aguas tranquilas del Aar, afluente del Rin. En la catedral de San Orso, en la antigua iglesia de los Jesuitas tan ricamente decorada, así como en el Ayuntamiento, asimismo de estilo barroco, fue prodigado el hermoso mármol de un blanco frío, que se extrae en los alrededores y cuya unidad tranquila contrasta con la exuberancia de la ornamentación. Esta bella ciudad, capital del cantón, está rodeada de elegantes residencias construidas en medio de grandes parques. A poca distancia, se encuentra Bienne, ciudad bilingüe, cuyo nombre alemán es Biel; se extiende desde la orilla del lago de igual nombre hasta la falda abrupta del monte Chasseral. Centro de la industria suiza de precisión, ha conservado vivo, en el corazón de la aglomeración moderna, el admirable centro medieval, que le confiere su encanto y su poesía.

Entre los antiguos castillos, tan numerosos en el Noroeste de Suiza, merece mención especial, el de Hallwil, rodeado por las aguas. Subiendo, desde Basilea, a lo largo del Rin, se despliega un paisaje fluvial maravillosamente arborizado con, de trecho en trecho, pintorescas poblaciones. Merecen ser admiradas, en la antigua iglesia del convento de Königsfelden, cerca de Brugg, las preciosas vidrieras que iluminan con sus coloridos la penumbra de la nave de sobriedad franciscana. Un poco más lejos, sucesivamente, los vestigios de Vindonissa, capital de la Helvecia oriental romana, las ruinas del castillo de Habsburgo y, finalemente, la ciudad de Baden, actualmente centro de una poderosa industria, donde residía en la edad media la dinastía de los Habsburgo, cuyo destino está tan estrechamente ligado al de Europa.

← Über dem Rhein, auf der Pfalz, thront majestätisch das Basler Münster

Du haut de son esplanade, la Cathédrale de Bâle domine le Rhin

Basle Cathedral is enthroned on the Pfalz high above the Rhine

Sobre su explanada, coronando el Rin, la majestuosa catedral de Basilea

Einmal im Jahr ist Basel ausser Rand und Band: an der Fasnacht ziehen Cliquen und Einzelgänger trommelnd und pfeifend durch die Gassen

La vénérable ville de Bâle est en folie une fois l'an: cliques et masques défilent à Carnaval au son des tambours et des fifres

Once a year Basle throws sobriety to the winds when the Shrovetide Carnival drummers and pipers parade the streets

En Carnaval, la respetable ciudad de Basilea está fuera de sus casillas: solos y en grupos, los enmascarados recorren las calles al son de pífanos y tambores

Basel: dörfliches Idyll auf dem Barfüsserplatz, inmitten der Grossstadt

Au centre de Bâle, l'idylle villageoise du Barfüsserplatz

Basle: an idyllic scene in the Barfüsserplatz in the city centre

Basilea: el idílico rincón de la Barfüsserplatz, en medio de la gran ciudad

RENOVATUM ET AMPLI
FICATUM ANNO DOMINI
MDCCCCI

← Blumen- und Gemüsemarkt vor dem gotischen Rathaus in Basel

Marché aux fleurs et aux légumes devant l'Hôtel de Ville gothique de Bâle

Market scene in front of Basle's Gothic town hall

Mercado de flores y hortalizas delante del Ayuntamiento gótico de Basilea

Basler Rheinhafen: hier weht der Atem des Weltverkehrs

Sur le Rhin, à Bâle: pont d'autrefois et industrie d'aujourd'hui

Rhine docks at Basle: here the pulse of world trade can be felt

Basilea: en el puerto fluvial del Rin se respira la atmósfera del comercio mundial

← Hornussen, ein habliches Bauerndorf im Fricktal, Kanton Aargau

Le riche et paisible village de Hornussen dans le Fricktal, en Argovie

Hornussen, a prosperous village in the Fricktal, Canton of Aargau

Hornussen: rica y apacible aldea campesina del Fricktal (Argovia)

Kaiserstuhl, einst ein bedeutendes Burgstädtchen am aargauischen Rheinufer

Le bourg important de Kaiserstuhl sur la rive argovienne du Rhin

Kaiserstuhl, once an important castle town on the Rhine

Kaiserstuhl, antaño importante villa fortificada argoviana junto al Rin

Vor der Kulisse der Jurahöhen die Solothurner St.-Ursus-Kathedrale

Soleure: la Cathédrale Saint-Ours et la chaîne du Jura

Cathedral of St. Ursus at Solothurn against a backdrop of Jura hills

Delante de la cordillera del Jura, la catedral de San Orso, de Soleura

Über der Reuss das Wahrzeichen von Bremgarten: der Obere Spitalturm →

La Tour de l'Hôpital, emblème de Bremgarten, se dresse au-dessus de la Reuss

The Hospital Tower, landmark of Bremgarten, looks down on the Reuss

La torre del hospital, símbolo de Bremgarten, se yergue a orillas del Reuss

Bernerland

Dieser Kanton ist einer der volksreichsten der Schweiz und geprägt durch seine Ausdehnung, die vom französischsprachigen Berner Jura über das Mittelland bis zu den Hochalpen reicht. Die Gegend bildete stets ein Bindeglied zwischen Alemannen und Romanen, den Urkantonen und der Westschweiz. Am weich in die Hügel gebetteten Bielersee wird am jurassischen Ufer französisch, gegenüber jedoch berndeutsch gesprochen. Landschaftlich gemahnt das Gebiet an die schwächer bevölkerten Nachbarkantone Freiburg und Waadt. Die St. Petersinsel im Bielersee war Rousseau ans Herz gewachsen; dort fand er selbst zur Natur zurück. Zweisprachig ist auch das Gestade des Murtensees. Durch Col des Mosses und Col du Pillon wird die Westschweiz unmittelbar mit dem Saanenland verbunden, das samt dem Pays-d'Enhaut einst den Grafen von Greyerz unterstand, die ihrerseits Lehensleute des Hauses Savoyen waren. Unter dem Namen «Haute-Gruyère» war die Talschaft damals vereinigt, Mitte des sechzehnten Jahrhunderts kam sie an Bern. Unter den Landvögten der Gnädigen Herren, deren Namen auf den vergilbten Pergamenten im Heimatmuseum des Pays-d'Enhaut zu Château-d'Œx verewigt sind, finden sich fast alle bekannten Geschlechter des Berner Patriziats, das seine mundartliche Umgangssprache mit französischen Brocken zu würzen liebt. Diese Wendigkeit und Empfänglichkeit für lateinisches Wesen sind es ganz besonders, die Gstaad als Fremdenplatz und Erziehungsstätte weltbekannt gemacht haben. Zahllose Prominente aller Kontinente haben sich an den sonnigen Halden dieses einzigartigen Berner-Oberländer Dorfes kostbar ausgestattete Chalets gebaut, und seine Hotels und Gaststätten geniessen internationalen Ruf.

Burgruinen und alte Dorfkirchen beleben das Bild des Simmen- und Kandertals, deren grüne Voralpen durch die Drei- und Viertausendergipfel im ewigen Schnee gekrönt und verklärt werden. Ein Sonnenaufgang im Berner Oberland lässt etwas von der Urkraft des Schöpfungstages ahnen, während die Strahlen des hinter Graten und Bergkämmen versinkenden Gestirns den Firn wie von innen zum Leuchten bringen, wodurch die eigenartige Erscheinung des Alpenglühens entsteht. Geistiger Brennpunkt des Oberlandes war im Mittelalter das Augustinerkloster Interlaken, dessen Mönche nicht ahnen konnten, wie sehr dereinst dieser latinisierende Name dazu beitragen werde, dem Ort zu touristischer Weltgeltung zu verhelfen. Im Gebiet des Thunersees, der durch die Legende des heiligen Beatus seine Weihe empfing, entzücken die uralten Kirchen von Amsoldingen, Einigen und Spiez. Die Staubbachfälle im Lauterbrunnental begeisterten Goethe zu seinem «Gesang der Geister über den Wassern», Grindelwald und Scheidegg Lord Byron zur dramatischen Dichtung «Manfred», deren Szenen teilweise im

Jungfraugebiet spielen. An der Erhabenheit der Alpen, die der Berner Albrecht von Haller in seinem grossen Gedicht besungen hatte, entzündete sich die Romantik von Schopenhauer über Mendelssohn und Weber bis zu Johannes Brahms, der dem Thunersee eine Violinsonate widmete. Der dunklere, strenge Brienzersee, Heimat der Oberländer Holzschnitzerkunst, leitet über zu Brünig und Grimsel, von deren Passhöhen der Blick in die Innerschweiz und ins Wallis schweift. Mürren und Wengen, Kandersteg und Adelboden liegen in grünen Wiesen, die im Winter zu Skipisten werden, der mannigfaltigen, sich südwärts windenden Täler des Oberländer Feriengebietes mit seinen zahllosen Seil- und Schwebebahnen sowie der höchsten Zahnradbahn Europas, die durch Tunnel im ewigen Eis aufs Jungfraujoch führt.

Stolzen Schlössern begegnet der Reisende in Burgdorf und Thun, während herrschaftliche Landsitze zu Oberhofen, Oberdiessbach und im Gürbetal das Auge entzücken. Gegenstück zum Greyerzerland des Nachbarkantons Freiburg bildet die Heimat des Emmentaler Käses, der im Ausland «petit gruyère» heisst, obwohl das weitverzweigte Gebiet um Langnau und Zäziwil flächenmässig eine grössere Ausdehnung aufweist. Es ist die Welt des Lützelflüher Pfarrers Jeremias Gotthelf, die in seinen Romanen und Erzählungen ihren Niederschlag gefunden hat. Eine halbe Stunde weit vom Bieler-, Murten- und Thunersee thront auf schroffem Felsen, von der Aare umflossen, das städtebauliche Juwel der schweizerischen Bundesstadt.

Wer nicht mit den staatlichen Behörden oder der Diplomatie zu tun hat, fühlt sich in Bern allerdings eher in den Hauptort eines Agrarkantons versetzt als in die Kapitale eines der höchstindustrialisierten Länder der Erde. Obwohl längst von Satellitenstädten und Industrievierteln umgeben, hat Berns Innenstadt ganz den Charakter der «vieille cité» bewahrt. Den Torbogen und Gassen, den Laubengängen und alten Brunnen, den mit bewundernswerter Nachahmungstreue wiedererstandenen und sorgsam erhaltenen Sandsteinfassaden entströmt ein Hauch des Vergänglichen, eine leise Trauer, die allem Bemühen, Vergangenes um jeden Preis lebendig zu erhalten, anhaftet. Dieses pittoreske, in seiner Geschlossenheit unvergleichliche Stadtbild liess Bern zu einer Sehenswürdigkeit von europäischer Bedeutung, zum beliebten Photoobjekt von Touristen aus aller Herren Ländern werden. Gotik und Barock herrschen vor – am Münster, am Rathaus und in den Stadtpalais der Patrizier, deren Vorfahren zur Zeit des Ancien Régime keine geringere Machtfülle besassen als die herrschenden Familien Venedigs oder Genuas.

Le canton de Berne

Ce qui caractérise ce canton – le second par le chiffre de la population – c'est son extension longitudinale: du Jura de langue française, il s'étend à travers le Plateau jusqu'aux Hautes Alpes. Sa position géographique en fait un lieu de rencontre entre Suisses alémaniques et romands, entre les cantons de l'est et de l'ouest. On parle français sur la rive du lac de Bienne, au pied du Jura, et allemand sur l'autre rive. Les paysages de cette région ressemblent à ceux des cantons voisins de Fribourg et de Vaud. C'est ici, à l'extrémité sud du lac de Bienne, que se trouve l'île de Saint-Pierre chère à Rousseau, où furent écrites les plus émouvantes de ses «Rêveries d'un promeneur solitaire». Le français et l'allemand alternent aussi sur les bords du lac de Morat. Les cols des Mosses et du Pillon relient la Suisse occidentale au Pays de Gessenay et au Pays-d'Enhaut, qui furent jadis les fiefs du comte de Gruyère, qui avait lui-même pour suzerain le duc de Savoie. Toute la vallée formait alors la Haute-Gruyère, qui passa sous la souveraineté de Berne au milieu du XVIe siècle. Parmi les baillis de «leurs gracieux seigneurs de Berne», dont on retrouve les noms sur les parchemins jaunis du petit Musée régional du Château-d'Œx, figurent la plupart des anciennes familles du patriciat bernois, qui avaient coutume d'émailler leur dialecte de locutions françaises. Proche du Pays romand, ouvert à l'esprit latin, Gstaad est aujourd'hui un lieu de prédilection du tourisme cosmopolite, où se trouvent aussi de nombreux instituts d'éducation internationaux. Des célébrités de tous les continents y possèdent de luxueux chalets, clairsemés sur les pentes ensoleillées de ce beau village oberlandais, où foisonnent les hôtels et les restaurants renommés.

De vieux clochers, des ruines d'anciens châteaux ajoutent au charme des vallées de la Simme et de la Kander, où les verts alpages des Préalpes s'élèvent graduellement jusqu'aux neiges éternelles des plus hauts sommets. Un spectacle évocateur des premiers jours de la Genèse s'offre à celui qui assiste dans l'Oberland au lever du soleil, tandis qu'à l'heure du coucher l'ultime irradiation allume sur les cimes cet extraordinaire «Alpenglühen», qui semble éclairer l'intérieur des glaciers. Le couvent des Augustins d'Interlaken fut au Moyen Age le foyer spirituel de l'Oberland. Les pieux moines qui l'habitaient ne se sont certes pas doutés que ce nom, qu'ils avaient dérivé du latin, contribuerait quelques siècles plus tard à en propager la renommée dans le monde. A Amsoldingen, à Einigen, à Spiez, d'admirables églises anciennes ornent cette région du lac de Thoune, où l'on visite encore les lieux où vécut saint Béat. Les chutes du Staubbach dans la vallée de Lauterbrunnen ont inspiré à Goethe un de ses célèbres poèmes, tandis que lord Byron, saisi par le paysage de Grindel-

wald et de la Scheidegg, en faisait le décor de plusieurs scènes de «Manfred». Ici, dans l'altière majesté des Alpes qui avait inspiré le poète bernois Albert de Haller, se forma un des grands courants du romantisme auquel sont liés les noms illustres de Schopenhauer, de Mendelssohn, de Weber, et enfin de Johannes Brahms, dont une sonate pour violon est dédiée au lac de Thoune. Du lac de Brienz, plus sombre, plus austère, berceau de la sculpture sur bois de l'Oberland, bifurquent les routes qui conduisent, par le col du Brunig, vers la Suisse centrale et, par celui du Grimsel, dans le Valais. Mürren, Wengen, Kandersteg, Adelboden, entourés de verts alpages que l'hiver transforme en champs de ski, animent les grandioses vallées de l'Oberland, que sillonnent d'innombrables funiculaires et téléphériques; on y a construit le chemin de fer à crémaillère le plus haut d'Europe qui, au sortir de tunnels forés dans la montagne, atteint l'esplanade de glace du Jungfraujoch.
Le regard est captivé tour à tour par les châteaux altiers de Berthoud et de Thoune, par les nobles manoirs d'Oberhofen, d'Oberdiessbach et du Gürbetal. Mais voici l'Emmental, qui rivalise avec la Gruyère fribourgeoise; son fromage est nommé à l'étranger «petit gruyère», bien que la vallée qui le produit, avec ses ramifications vers Langnau et vers Zäziwil, soit très grande. C'est également dans cette région que vécut Jeremias Gotthelf, pasteur de Lützelflüh, qui en fit le cadre de ses romans et de ses nouvelles. A proximité des trois lacs de Bienne, de Morat et de Thoune, qu'on atteint en moins d'une demi-heure, se dresse sur un éperon rocheux au-dessus de l'Aar, le joyau d'urbanisme qu'est Berne, siège du Gouvernement fédéral.
La «Ville fédérale» d'un pays très industrialisé, résidence de diplomates et de hauts magistrats, a cependant conservé l'aspect d'un chef-lieu de canton rural. Des villes satellites, des banlieues industrielles l'entourent, mais la vieille ville n'a pas changé. Les portes de l'ancienne enceinte, les rues à arcades, les fontaines médiévales, les façades admirablement restaurées des vieux hôtels patriciens sont nimbées de cette mélancolie qui s'attache aux survivances des richesses et de la grandeur passée. L'incomparable ensemble urbain d'une étonnante homogénéité fait de Berne une des villes les plus originales et des plus attrayantes d'Europe. Partout le gothique y alterne avec le baroque, à la cathédrale, à l'Hôtel de Ville, comme aussi dans les palais des anciennes familles de cette cité aristocratique, qui jadis égalèrent en puissance celles de Venise ou de Gênes.

Berne – City and Canton

This is one of the most populous cantons in Switzerland. Its character is determined by its position, for it stretches from the Bernese Jura, where French is spoken, across the central plateau to the High Alps. It was a region that always formed a link between the Alemannic and the Neo-Latin peoples, between the original cantons and Western Switzerland. French is spoken on the Jurassic shores of the Lake of Bienne, softly cradled in its hills, whereas on the opposite shore the people speak the Bernese dialect. In its landscape the region recalls the less populous neighbouring cantons of Fribourg and Vaud. Rousseau fell in love with St. Peter's Island in the Lake of Bienne, for there he could himself return to the bosom of Nature. Two languages are also spoken on the shores of the Lake of Morat. By way of the Col des Mosses and the Col de Pillon Western Switzerland is directly linked with the Saanen region which, together with the Pays-d'Enhaut, was once under the sway of the Counts of Gruyère, who in turn held the land in fief from the House of Savoy. At that time the valley was united under the name "Haute-Gruyère" and in the middle of the 16th century it came into the possession of Berne. Among the bailiffs of the Gracious Lords, whose names are perpetuated on the faded parchments in the Local History Museum of the Pays-d'Enhaut at Château-d'Œx, figure almost all the well-known patrician families of Berne, who liked to salt their colloquial dialect with snatches of French. It is perhaps this adaptability and receptivity to the Latin way of life which has made Gstaad world-famous as a resort and an educational centre.

Ruined castles and ancient village churches add lively accents to the scene in the Simmental and Kandertal where behind the verdant foothills ice-clad giants of 10 000 and 13 000 feet tower sublimely into the sky. A sunrise in the Bernese Oberland recalls those primal forces at work on the first day of Creation, and when the sun sets again behind the ridges and peaks its rays seem to call forth hidden fires from the ice and snow as they kindle the famous Alpine glow. During the Middle Ages the Augustinian Abbey of Interlaken was a centre of intellectual life. Its monks could have no idea how much this latinized name was to help in making the place famous throughout the world as a holiday resort. In the region of the Lake of Thun, assured of its place in history by the legend of St. Beatus, the ancient churches of Amsoldingen, Einigen and Spiez are rapt in dreams. The Staubbach Falls in the Lauterbrunnen Valley inspired Goethe to write his "Gesang der Geister über den Wassern" while Grindelwald and Scheidegg fired Lord Byron to produce his dramatic poem "Manfred", some of whose scenes take place in the Jungfrau region. The sublimity of the Alps, extolled by the Bernese Albrecht von Haller, elicited a deep response in the Romanticism of Schopenhauer, Mendelssohn and Weber and later cast its potent spell over Brahms, who dedicated his violin sonata to the Lake of Thun. The Lake of Brienz, more sombre and severe in character, opens the way to the Brünig and Grimsel Passes, from the summits of which the view extends to Central Switzerland and the Valais. Mürren and Wengen, Kandersteg and Adelboden sprawl over green pasturages where skiers disport themselves during the winter months in the south-trending valleys of the Oberland holiday playground. These resorts are served by many a cable and suspension railway and the highest rack-and-pinion railway in Europe which tunnels its way under snow and ice to the Jungfraujoch.

In Burgdorf and Thun proud castles greet the traveller and at Oberhofen, Oberdiessbach and in the Gürbetal stately country residences delight the eye. The Gruyère district of the neighbouring canton of Fribourg finds a counterpart in the Emmental, the home of the cheese of that name, known abroad as "petit gruyère", although the region producing it, the labyrinthine area round Langnau and Zäziwil, is actually rather larger in extent than the Gruyère district. This is the world portrayed by Jeremias Gotthelf, vicar of Lützelflüh, who recreated in his tales and novels the racy, homespun life of the valleys of this region. Half an hour away from the Lakes of Bienne, Morat and Thun, the Swiss federal capital stands on precipitous cliffs, ringed by the waters of the Aare, an architectural gem of a city in its layout. Yet anyone not having business with the administration or diplomatic representatives would imagine himself rather in the principal town of an agrarian canton than in the political capital of one of the most highly industrialized countries in the world. Although long surrounded by industrial quarters and dormitory suburbs, the old heart of Berne has kept intact its character as the "vieille cité". The gates and narrow streets, the arcades and ancient fountains, the sandstone façades, restored with admirable fidelity and lovingly preserved, evoke a sense of transience, a gentle sadness which is inseparable from all attempts to preserve the past, whatever the cost. The picturesque townscape of Berne, unrivalled in its unity, is one of the sights of Europe and a favourite subject for the cameras of tourists from every corner of the earth. Gothic and Baroque are dominant in the Cathedral, Town Hall and the palatial town residences of the patricians, whose ancestory in the time of the "ancien régime" exercised a power akin to that of the great families of Venice and Genoa.

El cantón de Berna

Lo que caracteriza este cantón –el segundo en cuanto a población– es su extensión longitudinal; en efecto, desde el Jura de habla francesa, se extiende a través de la meseta central hasta las cimas de los Alpes. Por su posición geográfica, es el crisol de contacto entre suizos de habla alemánica y francesa y entre los cantones del Este y del Oeste. En la orilla del lago de Bienne, al pie del Jura, se habla francés y en la ribera opuesta, la gente es de expresión alemánica. Los paisajes de esta región se parecen a los de los cantones vecinos de Friburgo y de Vaud. Aquí, en la extremidad Sur del lago de Bienne, se encuentra la isla de San Pedro, tan apreciada por Juan Jacobo Rousseau quien en ella escribió los capítulos más emocionantes de sus «Reflexiones de un paseante solitario». El francés y el alemán alternan también en las orillas del lago de Morat. Los puertos des Mosses y du Pillon enlazan la Suiza occidental con el valle de la Sarine y con el Pays-d'Enhaut, que en otros tiempos fueron feudos del conde de Gruyère quien, a su vez, tenía por soberano al duque de Saboya. Todo el valle formaba entonces la Alta Gruyère, que fue puesta –en el siglo XVI– bajo la soberanía de Berna. Entre los bailes de «sus graciosos señores de Berna», cuyos nombres se leen en los pergaminos amarillentos del pequeñó museo regional de Château-d'Œx, figura la mayor parte de las antiguas familias del patriciado bernés, que tenían la costumbre de adornar su dialecto de locuciones francesas. Cerca de Romandía y abierto al espíritu latino, Gstaad es actualmente un lugar de predilección del turismo cosmopolita; numerosos institutos internacionales de educación se encuentran en esta población. Celebridades de todos los continentes poseen en ella lujosos chalets, esparcidos por las laderas soleadas de este hermoso pueblo del Oberland bernés, donde abundan los hoteles y los restaurantes de fama internacional.

Viejos campanarios, ruinas de antiguos castillos completan el encanto de los valles de la Simme y de la Kander, donde los pastos verdes de los Prealpes se elevan gradualmente hasta las nieves eternas de las cimas más altas. Un espectáculo evocador de los primeros días de la Génesis se ofrece al que asiste, en el Oberland bernés, a la salida del sol, mientras que a la hora de la puesta, la última irradiación enciende en las cimas este extraordinario «Alpenglühen» –o rosicler– que ilumina aparentemente el interior de los glaciares. El monasterio de Agustinos de «Interlaken» fue, en la edad media, el centro espiritual del Oberland bernés. Los monjes piadosos no se imaginaron, por supuesto, que este nombre que ellos habían derivado del latín, contribuiría algunos siglos más tarde, a propagar su renombre por el mundo. En Amsoldingen, en Einigen, en Spiez, admirables iglesias antiguas adornan esta región del lago de Thoune, donde se visitan todavía las grutas en las que había vivido San Beato. Las cascadas del Staubbach en el valle de Lauterbrunnen inspiraron a Goethe uno de sus poemas más célebres, mientras que Lord Byron, impresionado por el paisaje de Grindelwald y de la Scheidegg, escogió estos lugares como escenario de varios episodios de su «Manfredo». Aquí, en la altiva majestad de los Alpes que había inspirado al poeta bernés Alfredo de Haller, se formó una de las grandes corrientes del romanticismo al que pertenecen los nombres ilustres de Schopenhauer, de Mendelssohn, de Weber y, finalmente, de Johannes Brahms, quien dedicó una sonata para violín, al lago de Thoune. Del lago de Brienz, más sombrío y más austero –cuna del arte de la talla de madera– bifurcan las carreteras que conducen, por el puerto del Brünig, hacia la Suiza central y, por el del Grimsel, hacia el Valais. Mürren, Wengen, Kandersteg, Adelboden, rodeados de pastos verdes que el invierno transforma en campos de esquí, animan los grandes valles del Oberland bernés, surcados por innumerables funiculares y teleféricos; allí fue construido el ferrocarril de cremallera más alto de Europa que, al salir de túneles horadados en la montaña, alcanza la explanada de hielo del Jungfraujoch.

La mirada queda cautivada, alternativamente, por los castillos altaneros de Berthoud y de Thoune, por las nobles mansiones solariegas de Oberhofen, de Oberdiessbach y del valle de la Gürbe. Mas he aquí el Emmental, que rivaliza con la Gruyère del cantón de Friburgo; su queso es conocido, en el extranjero, como «pequeño gruyère», aunque el valle que lo produce –con sus ramificaciones hacia Langnau y hacia Zäzivil– sea muy grande. En esta región vivió Jeremías Gotthelf, pastor de Lützelflüh, quien sitúa en ella la acción de sus novelas y de sus novelas cortas. Cerca de los tres lagos de Bienne, de Morat y de Thoune, que se alcanza en menos de media hora, se yergue en un espolón rocoso que domina el río Aar, la ciudad de Berna –joya de urbanismo– que es la sede del gobierno federal.

Esta capital de un país industrializado, residencia de diplomáticos y de altos magistrados, ha conservado a pesar de todo el aspecto de cabeza de partido de un cantón rural. Ciudades satélites, arrabales industriales la rodean, pero la ciudad vieja no ha cambiado. Las puertas de las antiguas murallas, las calles bordeadas de soportales, las fuentes medievales, las fachadas admirablemente restauradas de los antiguos palacios patricios, están nimbadas de esa melancolía que es inseparable de las supervivencias de las riquezas y de la grandeza pasada. El incomparable conjunto urbano de homogeneidad sorprendente, hace de Berna una de las ciudades más originales y más atractivas de Europa. En todas partes, el estilo gótico alterna con el barroco, en la Catedral, en el Ayuntamiento, así como en los palacios de las viejas familias de esta ciudad aristocrática que, en otros tiempos, igualó en poderío, a las de Venecia y de Génova.

← Ligerz am Bielersee mit dem Damm zur St-Petersinsel in der Mitte des Sees

Ligerz au bord du lac de Bienne, avec la digue qui relie l'île de St-Pierre au rivage

At Ligerz on the Lake of Bienne a causeway runs out to St. Peter's Island

Ligerz, junto al lago de Biel, con el dique que une la isla de St. Pierre a la orilla

Auf dem Gurten, dem Aussichtsberg und Freizeitdorado der Berner

Le Gurten, à la fois belvédère et parc d'agrément des Bernois

The Gurten, the vantage point and playground of the Bernese

En la cumbre del Gurten, mirador y centro de esparcimiento de los berneses

Vor der Universität das Denkmal des Berner Gelehrten Albrecht von Haller

Statue de l'illustre savant Albert de Haller devant l'Université de Berne

The University with the monument to Albrecht Haller, the Bernese scholar

Monumento al erudito Albrecht von Haller ante la Universidad de Berna

Über den Dächern der Berner Altstadt: die Silhouette des gotischen Münsters →

La Cathédrale gothique de Berne se profilant sur le ciel de la vieille ville

The silhouette of the Gothic cathedral rises above the roofs of old Berne

La gótica silueta de la catedral de Berna dibujada sobre el barrio antiguo

Berner «Zibelemärit»: Herbstmarkt und Volksfest für Stadt und Land

Une tradition bernoise: le marché aux oignons

"Zibelemärit" in Berne: autumn market and fête

El mercado de cebollas en Berna: fiesta popular

In den Gassen Berns: gross und klein im Banne des «Zytglogge»

Dans le vieux Berne: en attendant que l'heure sonne à la Tour de l'Horloge

The "Zytglogge" casts its spell over young and old in the Berne streets

En las calles de Berna, todos están fascinados por el «Zytglogge»

Das Wunderwerk der astronomischen Uhr am «Zytglogge» →

Un chef-d'œuvre d'horlogerie ancienne: la Tour de l'Horloge à Berne

The marvels of the astronomical clock on the "Zytglogge"

Una maravilla de la relojería medieval, el reloj astronómico llamado «Zytglogge»

12
Zytglogge
PHARMACI

← Vor den Toren Berns: Erntezeit in Wattenwil, die Tage sind von eiliger Betriebsamkeit ausgefüllt

Epoque de pleine activité, la saison des moissons bat son plein à Wattenwil aux portes de Berne

Harvest time, a busy period for the people of Wattenwil, a country village outside the city of Bern

Período de plena actividad de cosecha en Wattenwil, a las puertas de Berna

Altes Brauchtum im Emmental: «Brächete» in Zäziwil

Une vieille coutume de l'Emmental: «Brächete» à Zäziwil

The «Brächete» at Zäziwil: an ancient Emmental custom

Una antigua costumbre del Emmental: «Brächete» en Zäziwil

← «Heimetli» in der abgeschiedenen Hügelwelt des Emmentals

Petite «symphonie pastorale» sur les coteaux de l'Emmental

Farmsteads among the secluded hills of the Emmental

«Heimetli» –pequeño caserío– en los retirados collados del Emmental

Typisch für die Region: die Dorfkirche von Gsteig im Saanenland

Le clocher typique de l'église de Gsteig dans le Pays de Gessenay

The village church of Gsteig in the Saanen region

Estampa típica de la región de Saanen: iglesia de Gsteig con su espadaña

← Im Firnlicht über dem Thunersee: Eiger, Mönch und Jungfrau

Neiges éternelles au-dessus du lac de Thoune: Eiger, Mönch et Jungfrau

The snow-clad peaks of the Eiger, Mönch and Jungfrau above Lake Thun

Las cumbres de Eiger, Mönch y Jungfrau dominan el lago de Thoune

Vergnügungsfahrt auf dem Thunersee – es gibt tausend Dinge zu sehen

A bord d'un voilier, à la découverte des beautés du lac de Thoune

Pleasure trip on the Lake of Thun—there are endless things to see

Viaje de recreo por el lago de Thoune, admirando sus bellezas

Die Attraktion für gross und klein in jedem Ferienort: das Fernrohr

Une attraction dans tous les lieux de villégiature: la lunette d'approche

The telescope is a focus of attention at every holiday resort

El telescopio, una atracción para todos, en cualquier punto panorámico

Frühnebel über dem Brienzersee, beim Aufstieg zur Axalp

En montant vers l'Axalp: brume matinale sur le lac de Brienz

On the way up to the Axalp in early morning mist near Lake Brienz

Niebla matutina sobre el lago de Brienz, desde la altura de Axalp

Ob Grindelwald: → das karge Wildgerst- und Schwarzhorngebiet

Au-dessus de Grindelwald: la région aride du Wildgerst et du Schwarzhorn

The barren Wildgerst and Schwarzhorn region above Grindelwald

Encima de Grindelwald, la vasta región de Wildgerst y Schwarzhorn

Grosse Scheidegg mit → Engelhörnern im → Morgenlicht

Lever du soleil sur la Grande Scheidegg avec la silhouette des Engelhörner

Sunrise on the Grosse Scheidegg with outline of the Engelhörner

La Gran Scheidegg con los picos de los Engelhörner, en el arrebol matutino

Im Banne des Jungfrau-massivs: mit der längsten Luftseilbahn Europas auf den Schilthorngipfel (2974 m)

Devant le panorama de la Jungfrau: une cabine du plus long téléphérique d'Europe, qui atteint la cime du Schilthorn, à 2974 m d'altitude

Where the Jungfrau casts its spell: the longest aerial cableway in Europe runs to the summit of the Schilthorn (9754 ft.)

Bajo el hechizo del macizo de la Jungfrau, en el más largo teleférico de Europa, que llega hasta la cima del Schilthorn, a 2974 m

Zerklüftetes Gletschereis → am Oberen Grindelwald-gletscher

La surface crevassée du glacier supérieur de Grindelwald

Crevasses in the ice of the Upper Grindelwald Glacier

La superficie agrietada del glaciar superior de Grindelwald

Brienz-Rothorn-Bahn: die letzte Bergbahn mit Dampfbetrieb

Entre Brienz et le Rothorn: le dernier chemin de fer alpestre à vapeur

Brienz-Rothorn railway: the last steamrailway

Entre Brienz y el Rothorn: el último ferrocarril de montaña de vapor

Der Grimselpass, eine der klassischen Alpenstrassen der Schweiz

Le col du Grimsel, que franchit une des plus belles routes alpestres de Suisse

The Grimsel Pass, one of the bestknown Swiss mountain roads

El puerto de Grimsel, una de las más típicas carreteras alpinas suizas

Farbenreicher Bergherbst im Gadmental → mit Blick auf die Wetterhörner

Les riches coloris de l'automne embellissent les montagnes du Gadmental, ici les Wetterhörner

Autumn in the Gadmental with the Wetterhörner is a riot of colour

Los variados colores del otoño embellecen las montañas del Gadmental. Aquí los «Wetterhörner»

Das eisig-abweisende Antlitz des Totensees am Grimselpass

Solitude glacée du Totensee au col du Grimsel

The waters of the Totensee on the Grimsel Pass look cold and repelling

Inhóspita soledad helada del Totensee, en el puerto de Grimsel

Die Zentralschweiz

Die Geschichte des innerschweizerischen Fremdenverkehrs greift bis in die Zeit der Romantik zurück. Damals begeisterte sich die reisende Menschheit gleichermassen für schroffe Felsgipfel und Wasserfälle wie für das Freiheitsideal der Tellensage. Später kamen technische Pionierleistungen hinzu, die Europa, ja Amerika beeindruckten: 1871 die Vitznau-Rigi-Bahn, 1882 die Gotthardlinie und wenige Jahre später die Pilatusbahn, die als Weltwunder bestaunt wurde. Erst zu Beginn unseres Jahrhunderts entstand die Axenstrasse mit ihren in den nackten Fels gehauenen Galerien. In der Innerschweiz erlebt der Besucher die Eidgenossenschaft im ureigensten Wesen, die Schweiz im Konzentrat, Helvetia in nuce; denn hier wurde im Herzen des Kontinents ein freiheitlich-föderalistisches Staatswesen aus der Taufe gehoben, das im Laufe der Jahrhunderte die übrigen «Orte» des Landes vereinigen sollte. Dort, über dem Vierwaldstättersee, breitet sich die stille Aue des Rütli, gleichsam das Nationalheiligtum der Schweizer, wo nach der Überlieferung im Jahre 1291 der Dreimännerbund beschworen wurde. Er besass europäische Bedeutung, weil die Waldstätte, wie die Urschweizer Kantone heissen, im Gotthardpass den wichtigsten Alpenübergang in Händen hatten. Dieser spielte in der hohen Politik der Zähringer und Kyburger, Staufen und Habsburger eine massgebende Rolle. Die Verlagerung der Macht nach Österreich unter Rudolf von Habsburg stellte die alten Reichsprivilegien in Frage; zum Aufruhr kam es in den Waldstätten um der Anmassung kaiserlicher Landvögte willen, wie Schiller es in seinem Volksdrama «Wilhelm Tell» dargestellt hat. Der Sieg der Eidgenossen am Morgarten 1315 schliesslich begründete ihre Unabhängigkeit.

Durch die erstaunliche Tatsache, dass der Feudaladel in dieser friedlichen Gebirgswelt schon im ausgehenden Mittelalter seine Macht einbüsste, sind indessen gerade in der Schweiz Dutzende alter Burgen und Schlösser erhalten geblieben, die in den umliegenden Ländern den Revolutionswirren der Neuzeit zum Opfer gefallen sind. Von Zürich gelangt man über das Städtchen Zug am gleichnamigen See nach Luzern, dem bedeutenden Fremdenplatz, der von mehr Touristen besucht zu werden pflegt als irgendeine andere Schweizer Stadt. Dort beginnt der «Golden Pass», der über den Brünig ins Berner Oberland und weiter bis Montreux führt. Fruchtbare Täler wechseln mit schweigenden Seen, dunkle Tannenwälder mit zerklüfteten Felsen, reichgeschnitzte Bauernhäuser mit überlieferungsreichen Hotels, während rundum firnbedeckte Gipfel zum Himmel ragen. Es gibt kaum eine Gegend, wo die Natur sich in so verschwenderischer Fülle und Vielfalt der Formen dem Auge offenbart wie das Kernland der Schweiz, das Gonzague de Reynold «La Cité sur la Montagne» genannt hat. Freilich –

städtisches Wesen, urbane Überlieferung tritt einzig in Luzern zutage, während Stans, Altdorf und Schwyz mit ihren herrschaftlichen Giebel- und Fachwerkhäusern reinen Dorfcharakter bewahrten. Hoch über dem verästelten Vierwaldstättersee prangen die Kurorte Bürgenstock und Seelisberg, während die Rigi mit ihrer berühmten Rundsicht, die schon Mark Twain begeisterte, immer noch ein beliebtes Ausflugsziel bildet. In Engelberg und Einsiedeln stehen mächtige Klöster, deren hoheitsvolle Barockkirchen in den spärlich besiedelten Hochtälern der Innerschweiz zu eindringlicher Geltung gelangen.

Wird der Gotthard alljährlich von Hunderttausenden in beiden Richtungen befahren, so ist der langgestreckte Klausenpass, der unmittelbar südlich des Urnersees gegen Osten abzweigt und nach Glarus und Näfels führt, nur wenigen Fremden bekannt, obgleich er von der kühnen Hochgebirgskette der Glarner Alpen flankiert wird. Am Vierwaldstättersee laden die blumenreichen Uferorte Weggis, Vitznau, Gersau, Brunnen, Beckenried und Buochs zum Verweilen. Drahtseilbahnen und Gondellifte tragen ihre Passagiere im Handumdrehen in luftige Höhen empor. Von Pilatus Kulm aus schweift der Blick über den vielverschlungenen See mit seinen Fjorden und waldbedeckten Landvorsprüngen, lieblichen Buchten und traulichen Dörfern – es ist eine geschützte, verträumte, in sich gekehrte Welt, von der man mit Erstaunen vernimmt, dass sie einst Kaiser und Reich die Stirn geboten hat.

Dank seiner Internationalen Musikfestwochen wurde Luzern in den letzten Jahrzehnten für jeden Gebildeten zum Begriff, nachdem es zur Zeit des Fin de siècle und der Belle Epoque gekrönte Häupter, Geburts- und Geldadel in seinen Hotelpalästen willkommen heissen durfte. Die Sehenswürdigkeiten der Stadt am Vierwaldstättersee geniessen Weltruf – wer hätte nicht vom Gletschergarten, von Thorwaldsens Löwendenkmal, vom «Panorama» gehört? Tiefere Eindrücke hinterlassen Hofkirche und Rathaus, die hölzernen, mit eigenartigen Gemäldezyklen aus alter Zeit geschmückten Brücken über dem Becken der Reuss, Jesuiten- und Franziskanerkirche, der erkerbestandene Weinmarkt der in wunderbarer Ursprünglichkeit erhaltenen Altstadt. Kein Gast, der Luzern im Glanze seiner Sommersaison erstmals erlebt, würde glauben, dass diese europäische Festspiel- und Fremdenstadt keine achtzigtausend Einwohner zählt. Am Nordwestzipfel des Vierwaldstättersees, umgeben von den Bergen der Innerschweiz, hat sich, im Geiste angeborener Weltgewandtheit, eine Stätte abendländischer Kultur herangebildet, die den betriebsamen Grossstädten Genf, Basel und Zürich einen hochwertigen Gegenakzent setzt.

La Suisse centrale

Le tourisme de la Suisse centrale remonte à l'époque romantique. On s'enthousiasmait à la fois pour les cascades et les rochers abrupts et pour l'idéal de liberté qui avait inspiré la légende de Tell. Plus tard vinrent s'ajouter ces exploits de la technique qui étonnèrent l'Europe, et même l'Amérique: le chemin de fer du Rigi en 1871, la ligne du Gothard en 1882, et enfin le funiculaire du Pilate qui passait à l'époque pour une des merveilles du monde. Au début de ce siècle, on construisit l'Axenstrasse, dont les galeries furent creusées dans la roche. Le touriste se confronte, en Suisse centrale, avec l'âme même de la vieille Confédération; c'est un concentré d'Helvétie qui s'offre à lui: un Etat s'est formé, au cœur du continent, sur le double fondement du fédéralisme et de la liberté, et il allait plus tard attirer à lui successivement les villes et pays voisins. Là, au-dessus du lac des Quatre-Cantons, se trouve le Rütli, prairie solitaire où la légende situe le serment des trois hommes qui, en 1291, ont scellé la première alliance. Ce pacte entre quelques montagnards eut des répercussions européennes, car la Waldstätte, comme on nomme les cantons primitifs, contrôlait le Gothard, qui était le col le plus important des Alpes: un maître atout en politique, que se disputaient les Zähringen, les Kibourg, les Staufen, les Habsbourg. Sous Rodolphe de Habsbourg, le centre de gravité s'étant déplacé vers l'Autriche, les privilèges d'Empire furent remis en question. L'arrogance des baillis impériaux suscita la révolte de la Waldstätte, que Schiller a évoquée dans le drame de «Guillaume Tell». Enfin, la victoire des Confédérés à Morgarten, en 1315, assura leur indépendance.

C'est grâce au fait étonnant que la noblesse féodale ait essuyé ses premiers revers dans ces «paisibles montagnes», que furent préservés en Suisse tant de forteresses et de châteaux, que les révolutions d'une époque plus récente ont détruits dans les pays voisins. De Zurich, en passant par Zoug, au bord du lac du même nom, on atteint Lucerne, grand centre touristique qui connaît la faveur spéciale des touristes. De Lucerne part le «Golden Pass» qui franchit le Brunig, traverse l'Oberland pour aboutir à Montreux. Partout, au pied des cimes couronnées de neige, de fertiles vallées alternent avec des lacs aux eaux calmes, de sombres forêts avec des rochers escarpés, des chalets paysans richement sculptés avec des hôtels de vieille tradition. Nulle part la nature ne s'est montrée plus prodigue de beauté originale et diverses qu'au centre de cette citadelle alpestre que Gonzague de Reynold nomme «la cité sur la montagne». Certes l'urbanisme, les traditions citadines, n'apparaissent qu'à Lucerne; Stans, Altdorf, Schwyz, avec leur maisons patriciennes à pignons et à colombages, sont aujourd'hui encore des agglomérations campagnardes. Les stations estivales de Bürgenstock et de Seelisberg dominent le lac des Quatre-Cantons, tandis que le Rigi et son célèbre panorama, qui enchantait déjà Mark Twain, continue à attirer les caravanes de touristes. Les imposants couvents d'Engelberg et d'Einsiedeln, avec leurs majestueuses églises baroques, créent un saisissant contraste dans leur cadre austère de montagne.

Tandis que la route du Gothard attire dans les deux sens une circulation touristique intense, celle du col du Klausen qui, au sud du lac d'Uri, bifurque à l'est vers Glaris et Näfels, est peu connue malgré la beauté des Alpes glaronaises qui la surplombent. Enfin, sur les rives fleuries du lac des Quatre-Cantons, se succèdent des lieux attrayants de villégiature: Weggis, Vitznau, Gersau, Brunnen, Beckenried, Buochs. Des funiculaires et des téléphériques donnent accès en quelques instants à d'admirables belvédères. Du sommet du Pilate, le regard plonge sur l'enchevêtrement du lac avec ses fjords et ses promontoires boisés, ses baies riantes et ses villages coquets. On s'étonne, en contemplant ce monde fermé, propice à la rêverie et qui semble replié sur lui-même, qu'il ait jadis victorieusement bravé les empereurs et les puissants de la terre.

Grâce à ses Semaines internationales de musique, Lucerne qui, à la période de la «fin de siècle», qu'on nommait aussi «la Belle Epoque», accueillait dans ses palaces des têtes couronnées et la fleur du Gotha et de la finance, attire aujourd'hui l'élite cultivée du monde. Les monuments et les curiosités célèbres y abondent – le Jardin du glacier, le monument du lion de Thorwaldsen, le Panorama – et pour les amateurs sensibles aux beautés du passé: la Hofkirche, l'Hôtel de Ville, les ponts couverts, véritables galeries de tableaux historiques au-dessus de la Reuss, les églises des Jésuites et des Franciscains, et les admirables fenêtres en encorbellement du Marché aux vins, au centre du vieux Lucerne dont on a su préserver la beauté originelle. Quel étranger pourrait croire, en visitant, dans tout l'éclat de la saison d'été, ce centre européen de festivals et de tourisme, qu'il compte à peine quatre-vingt mille habitants? Ainsi, à l'extrémité d'un beau lac qu'entourent les cimes de la Suisse centrale, s'est développé dans une ambiance de cosmopolitisme éclairé, un authentique foyer de culture occidentale, qui complète harmonieusement le groupe des grandes villes industrieuses de Genève, Bâle et Zurich.

Central Switzerland

The history of tourism in Central Switzerland has its earliest roots in the Romantic period. In those days travellers thrilled to precipitous cliffs and waterfalls as much as to the ideal of liberty embodied in the William Tell legend. There followed the age of pioneering engineering achievements which created a deep impression in Europe and indeed in America as well. In 1871 the Vitznau–Rigi railway was constructed, in 1882 the Gotthard line, and a fey years later the Pilatus railway, which was admired as one of the wonders of the world. It was not until the beginning of our century, however, that the Axenstrasse and its galleries were hewn out of the living rock. In Central Switzerland the visitor will find the very pith and marrow of the Swiss Confederation, the quintessence of things Swiss, for this mountainous heart of the Continent was the cradle of a freedom-loving federal state which, as the centuries passed, proceeded to draw the other "lands" together into political unity. By the shore of the Lake of Lucerne stretches the quiet mead of the Rütli, a Swiss national shrine, where according to tradition the Everlasting Alliance was sworn in 1291. This pact was of European significance, for the three Forest Cantons, as the first Swiss cantons were called, controlled the Gotthard Pass, the most important of all the transalpine routes. It represented a crucial factor in the high policies of the Zähringers, Kyburgers, Staufens and Habsburgs. The transference of power to Austria under Rudolf of Habsburg constituted a threat to the old imperial franchises; and the high-handed ways of the imperial bailiffs in the Forest Cantons brought rebellion in their train, as Schiller portrayed in his drama "Wilhelm Tell". The victory of the Confederates at the Battle of Morgarten in 1315 established their independence beyond question.

The astonishing fact that in this peaceful mountain world the feudal nobles were deprived of their power as early as the closing years of the Middle Age resulted in the preservation in Switzerland of dozens of castles and fortified manors while, in surrounding countries, such buildings suffered severely in the revolutionary disturbances at the dawn of the modern age. From Zurich the traveller makes his way via the little town of Zug by the lake of the same name to Lucerne, an important resort which is visited by more tourists than any other town in Switzerland. This is the gateway to the "Golden Pass", which runs by way of the Brünig to the Bernese Oberland and on to Montreux. Fertile valleys alternate with tranquil lakes, dark pine forests with precipitous rocks, and ornately carved farmhouses with tradition-conscious hotels while, round about, peaks clad in eternal snow tower into the skies. There can hardly be any other region where nature presents such a luxuriance and diversity of form as in this heart and core of Switzerland which Gonzague de Reynold called "La Cité sur la Montagne". Only in Lucerne, however, does one find an urban tradition and atmosphere, for Stans, Altdorf and Schwyz with their stately half-timbered and gabled buildings have retained their authentic village character. High above the many-armed Lake of Lucerne stand the attractive resorts of Bürgenstock and Seelisberg, whereas the Rigi with its famous panorama, which Mark Twain described in such glowing terms, is still a favourite goal for excursionists. In Engelberg and Einsiedeln there are mighty abbeys whose regal Baroque churches gain in magnificence by contrast with the sparsely populated upland valleys of Central Switzerland.

Every year hundreds of thousands of people traverse the Gotthard in both directions, but the straggling Klausen Pass, which branches east just south of the Lake of Uri and gives access to Glarus and Näfels, is known to relatively few visitors, for all that it is flanked by the majestic chain of the Glarus Alps. Along the shores of the Lake of Lucerne the flower-decked resorts of Vitznau, Gersau, Brunnen, Beckenried and Buochs are an open invitation to tarry awhile. Cable railways and chair lifts whisk passengers to the airy heights in a matter of minutes. From the summit of Pilatus the view stretches over the deeply indented outline of the lake with its inlets and forest-covered promontories, its quiet bays and snug villages, all making a secluded, dream-rapt, inward-looking world which, one is astonished to learn, once took arms against an emperor.

By reason of its International Musical Festival Lucerne has in recent years become a familiar name to every cultured person, just as at the end of last century and in the "belle époque" it was renowned for the crowned heads and hereditary and moneyed aristocracy who took suites in its palace hotels. The sights of the town are world-famous. Who has not heard of the Glacier Garden, Thorwaldsen's Lion Memorial, or of the "Panorama"? And then there is the Hofkirche and the Town Hall, the ancient timber bridges over the Reuss with their unique paintings, the Jesuit and Franciscan Churches, the oriel-windowed Wine Market tucked away in the old quarter of the town which time seems to have passed by. No visitor who first makes acquaintance with Lucerne at the height of the summer season would credit that this festival and holiday resort with its European reputation has a population of less than eighty thousand. Surrounded by the mountains of Central Switzerland at the north-western tip of the Lake of Lucerne, the town has used its inborn adroitness in dealing with the outside world to develop into a centre of western culture and thus form a valuable pendant to the bustling industrial cities of Geneva, Basle and Zurich.

La Suiza central

El turismo de la Suiza central remonta a la época romántica. Entonces, la gente se entusiasmaba a la vez por las cascadas y las rocas abruptas y por el ideal de libertad que había inspirado la leyenda de Guillermo Tell. Más tarde se agregaron esas proezas de la técnica que asombraron a Europa e incluso a América: el ferrocarril del Righi, en 1871; la línea del San Gotardo, en 1882 y, finalmente, el funicular del monte Pilatos que, en esa época, fue considerado como una de las maravillas del mundo. Al principio de este siglo, fue construida la carretera del Axen, cuyas galerías fueron horadadas en la roca. En la Suiza central, el turista se confronta con el alma propiamente dicha de la vieja Confederación; allí se le ofrece un concentrado de la Helvecia; un Estado fue formado, en el corazón del continente –de fundamento doble, es decir el federalismo y la libertad– al que se adhirieron, más tarde, las ciudades y los países vecinos. Allí, por encima del lago de los Cuatro Cantones, se encuentra el Grütli, pradera solitaria en la cual la leyenda sitúa el juramento de los tres hombres que, en 1291, selló la primera alianza. Este pacto entre algunos montañeses tuvo repercusiones europeas, porque los Waldstätte –nombre que se da a los cantones primitivos– dominaban el San Gotardo, que era el puerto más importante de los Alpes; se trataba de un factor capital en política, que se disputaban las dinastías de los Zähringen, los Kiburgo, los Staufen y los Habsburgo. Durante el reinado de Rodolfo de Habsburgo, el centro de gravedad se había desviado hacia Austria y los privilegios del imperio quedaron comprometidos. La arrogancia de los bailes imperiales suscitó la revuelta de los Waldstätte, que Schiller evocó en su drama de «Guillermo Tell». Finalmente, la victoria de los confederados lograda en Morgarten, en 1314, aseguró su independencia.
Debido al hecho sorprendente de que la nobleza feudal sufriera sus primeros reveses en esas «montañas tan apacibles», se preservaron en Suiza tantas fortalezas y castillos, que las revoluciones de una época más reciente destruyeron en los países vecinos. De Zurich, pasando por Zoug, en el lago del mismo nombre, se alcanza Lucerna, gran centro turístico particularmente apreciado por los turistas. De Lucerna, parte el «paso de oro», que franquea el puerto del Brünig, atraviesa el Oberland bernés, para llegar a Montreux. En todas partes, al pie de las cumbres coronadas de nieve, alternan valles fértiles con lagos de aguas tranquilas, bosques sombríos con rocas escarpadas, así como chalets rústicos ricamente esculpidos con hoteles de vieja tradición. En ninguna parte, la naturaleza se ha mostrado más pródiga de belleza original y diversa, que en el centro de esta ciudadela alpestre que Gonzague de Reynold llama «la ciudad sobre la montaña». Por supuesto, el urbanismo y las tradiciones ciudadanas aparecen únicamente en Lucerna; Stans, Altdorf,

Schwyz –con sus casas patricias de fachadas entramadas y de tejados puntiagudos– son aún en la actualidad aglomeraciones campesinas. Las estaciones estivales de Bürgenstock y de Seelisberg dominan el lago de los Cuatro Cantones, mientras que el monte Righi y su célebre panorama –que encantó ya a Mark Twain– continúan atrayendo verdaderas caravanas de turistas. Los imponentes monasterios de Engelberg y de Einsiedeln, con sus majestuosas iglesias de estilo barroco, crean un contraste impresionante en su ambiente austero de montaña.

Mientras que la carretera del San Gotardo atrae, en ambos sentidos, una intensísima circulación turística, la del puerto del Klausen que, al Sur del lago de Uri, bifurca al Este hacia Glaris y Näfels, es poco conocida, a pesar de la belleza de los Alpes de Glaris que la dominan. Finalmente, en las orillas floridas del lago de los Cuatro Cantones, se suceden lugares bellísimos para pasar las vacaciones: Weggis, Vitznau, Gersau, Brunnen, Beckenried, Buochs. En algunos instantes, funiculares y teleféricos dan acceso a belvederes verdaderamente admirables. Desde la cumbre del Pilato, la mirada penetra en el embrollo del lago con sus ensenadas y sus promontorios poblados de árboles, sus bahías alegres y sus pueblos coquetos. Al contemplar este mundo cerrado, propicio para soñar y que parece replegado sobre sí mismo, uno se etraña que en otros tiempos haya podido desafiar a los emperadores y a los poderosos de la tierra.

Gracias a su «festival internacional de música», Lucerna –que, en el período de «fin de siglo», llamado también la «bella época», acogía en sus hoteles de lujo a cabezas coronadas y a la flor del Gotha y de la finanza– atrae en la actualidad a la gente más cultivada del mundo. Abundan en ella los monumentos y las curiosidades célebres –el Jardín del glaciar, el monumento del león de Thorwaldsen– y, para los amantes sensibles a la belleza pasada, la iglesia de la Corte, el Ayuntamiento, los puentes cubiertos, verdaderas galerías de cuadros históricos que atraviesan el río Reuss, las iglesias de los Jesuítas y de los Franciscanos, y las hermosas ventanas en las fachadas entramadas del Mercado de vinos, en el centro de la vieja Lucerna, del cual se ha conservado la belleza original. ¿Qué extranjero podría creer, al visitarlo en todo el esplendor de la temporada estival, que este centro europeo de festivales y de turismo cuenta apenas ochenta mil habitantes? Así, en el extremo de un hermoso lago rodeado de las cimas de la Suiza central, se ha desarrollado, en un ambiente de cosmopolitismo de alto nivel, un auténtico hogar de la cultura occidental, que completa armoniosamente el grupo de las grandes ciudades industriosas de Ginebra, Basilea y Zurich.

← Abstrakte Schönheit der Technik: die Luftseilbahn auf den Pilatus

Beauté abstraite de la technique: le téléphérique du Mont-Pilate

The engineer's abstract beauty: cable railway on Pilatus

Belleza abstracta de la técnica: el teleférico al monte Pilato

Verkehrshaus in Luzern, das meistbesuchte Museum der Schweiz

Le Musée des transports à Lucerne est le musée suisse qu'on visite le plus

Lucerne Transport Museum, the most frequented museum in Switzerland

El Museo de Transportes de Lucerna, el más visitado de Suiza

Sternsingen in Küssnacht am Rigi, ein alter Innerschweizer Brauch

A Küssnacht, au pied du Rigi, une ancienne coutume: le «chant aux étoiles»

Carollers at Küssnacht am Rigi, an old custom in Central Switzerland

Canto a las estrellas en Küssnacht en el Righi, vieja costumbre popular

Luzern: kulturelles und touristisches Zentrum der Zentralschweiz →

Lucerne, métropole culturelle et touristique de la Suisse centrale

Lucerne: cultural and holiday focus of Central Switzerland

Lucerna, corazón cultural y turístico de la Suiza Central

HOTEL DES ALPES
HOTEL
FEDERAL
TITLIS

← Kleiner und Grosser Mythen bei Goldau, markante Wegweiser
an der Verkehrsader zum Gotthard

Les majestueux sommets des Mythen à Goldau sur la route du Gothard

The Mythen near Goldau: a notable landmark on the busy St. Gotthard route

Las majestuosas cumbres de los «Mythen» de Goldau, en la vía del Gotardo

Der harte Alltag lässt keine Zeit für Sport und Vergnügen; an Sonntagen aber treffen sich Jungbauern und Sennen zum Kräftemessen beim «Schwinget»

Après le dur labeur de la semaine, les concours de lutte réunissent le dimanche la jeunesse des montagnes et des vallées

The hard workaday world leaves no time for amusement, but on Sunday the young farmers and cowherds measure their strength in Swiss wrestling

Tras la dura labor de la semana, la juventud vaquera y campesina mide sus fuerzas los domingos en las competiciones de lucha: deporte y espectáculo

Blick vom Pilatus auf das Nebelmeer über dem Vierwaldstättersee →

Au sommet du Pilate: la mer de nuages au-dessus du lac des Quatre-Cantons

View from Pilatus over the sea of clouds covering Lake Lucerne

Mar de niebla sobre el lago de Lucerna, visto desde el monte Pilato

Dampfschiffahrt auf dem Vierwaldstättersee: jung und alt vergnügen sich auf ihre Weise

Steamer trip on the Lake of Lucerne: a pleasure for young and old

Les excursions en bateau sur le lac des Quatre-Cantons sont une joie pour tous les âges

Las excursiones en vapor por el lago de los Cuatro Cantones, son un placer para viejos y jóvenes

← Nahe bei Luzern, abseits des Verkehrsstromes: das liebliche Eigental

Le calme des larges horizons, dans l'Eigental près de Lucerne

The smiling Eigental tucked away from the noise of traffic near Lucerne

El apacible Eigental, cerca de Lucerna, pero apartado del bullicio del tráfico

Erholsames Vergnügen, Skiwandern in verschneiter Landschaft durch ein ideales Gelände

Plaisir d'hiver: ski de fond dans un paysage enneigé au relief idéal

Winter recreation, cross-country skiing through snow-covered countryside

Placer del invierno: ski de fondo en un paisaje nevado sobre un relieve ideal

Die Bergbahn von Engelberg-Trübsee auf den Klein-Titlis

Le funiculaire qui monte au Petit Titlis depuis Engelberg-Trübsee

The funicular railway up the Klein-Titlis leaves from Engelberg-Trübsee

El funicular que sube al Pequeño Titlis desde Engelberg-Trübsee

← Kühn angelegte Schienenwege: die Gotthardbahn nach dem Süden und die Zahnradbahn durch die Schöllenenschlucht von Göschenen nach Andermatt

Deux ouvrages d'art audacieux: la ligne du Gothard, qui relie le nord au sud de l'Europe, et le funiculaire qui traverse les gorges de Schöllenen entre Göschenen et Andermatt

Boldly engineered railways: the Gotthard line is the gateway to the south, and the rack-and-pinion railway winds from Göschenen up the Schöllenen Gorge to Andermatt

Dos audaces obras de ingeniería: la vía férrea del San Gotardo, cordón umbilical entre Norte y Sur y el ferrocarril de cremallera que atraviesa la garganta de Schöllenen y une Göschenen y Andermatt

Gotthardpasshöhe: → Scheitelpunkt und Wasserscheide zwischen Nord- und Südschweiz

Sur le col du Gothard

The top of the Gotthard Pass

Cima del puerto de S. Gotardo

Hoch über dem Bedrettotal: Kunstbauten der Gotthardsüdrampe →

Un chef-d'œuvre de génie → civil: la rampe de la route du Gothard, suspendue au-dessus du val Bedretto

The engineering structures on the southern approaches to the Gotthard

La carretera Sur del San Gotardo, colgada en declive sobre el valle de Bedretto

Zürich und Nordostschweiz

Unter den europäischen Flughäfen nimmt Zürich-Kloten den achten Platz ein; die grösste Stadt des Binnenlandes ist dadurch im Zeitalter des Luftverkehrs zum Tor der Schweiz geworden. In den vergangenen Jahrhunderten vorwiegend Hüterin der Alpenübergänge, später durch die Eisenbahntunnels des Gotthards und Simplons eng mit Italien, durch internationale Züge mit Frankreich, Deutschland und Österreich verbunden, wurde die Schweiz dank Zürich-Kloten und Genf-Cointrin zum Kreuzweg des Kontinents, was bedeutende Menschen, frisches Gedankengut, weltweite Wirtschaftsbeziehungen an die Gestade von Limmat und Rhone bringt. Die Bahnhofstrasse mit ihren schönen Geschäften, die traditionsreichen Hotels und Konditoreien verschaffen Zürich als Fremdenplatz Weltruf. In seiner Altstadt, zur Zeit des Ersten Weltkrieges Geburtsstätte der Dada-Bewegung, hatte Gottfried Keller einst seine Stammkneipe, während Conrad Ferdinand Meyer eine sehr ansehnliche Dichterklause am Zürichsee bewohnte und Richard Wagner in der herrschaftlichen Besitzung Wesendonck, die heute die Kunstsammlung von der Heydt birgt, eine schöpferische Zuflucht fand. Überliefertes Asylrecht grosszügig zu handhaben bildet einen Ruhmestitel der Limmatstadt; denn dadurch gelangte geistig-gesellschaftlicher Gärstoff in die Mauern der ursprünglich so gefestigten Trutzburg des Protestantismus, wo das Erbe Zwinglis mit demjenigen Hans Waldmanns sich in eigenartiger Weise verbindet. Als Bildungsstätte besitzt die Eidgenössische Technische Hochschule europäischen Ruf; die «Neue Zürcher Zeitung» gilt als eine der besten Tageszeitungen der Welt; während Deutschlands dunkler Jahre leuchtete das Schauspielhaus als erste Sprechbühne deutscher Zunge. Europäisches Format besitzen die Kunstsammlungen Bührle im Zürcher Kunsthaus und Oskar Reinhart im nahen Winterthur, einem Schwerpunkt des wichtigsten Zweiges schweizerischer Exportwirtschaft, der Maschinenindustrie.

Wie es mitten in Zürich eine Weinbergstrasse gibt, deren Rebgelände längst modernen Zweckbauten weichen musste, so gelangt der dem Seeufer entlang Fahrende bald zu den alten Winzerdörfern, wo an lieblicher Halde der Weinstock gedeiht und vornehme Villenviertel ganz natürlich in ländliche Stille übergehen. Die gewerbefleissige Metropole scheint zwar den langgestreckten See heute fast lückenlos zu umschliessen; aber sie erdrückt die Landschaft nicht. Rapperswil mit dem stolzen Schloss, das so viel Wert auf die Feststellung legt, auf sanktgallischem, nicht etwa auf zürcherischem Boden zu stehen, erhebt Anspruch auf den Titel «die Rosenstadt». Ein völliger Szenenwechsel vollzieht sich am schweigend vor düsterer Bergeswand ruhenden Walensee. Franz Liszt hat seine Melancholie besungen, damit bekennend, dass auch die Nordostschweiz an die Saiten romantischen Empfindens zu rühren vermag. Der Fremdenverkehr freilich, der anderswo so mächtig davon belebt wurde, beschränkt sich in dieser Landesgegend auf Erholung im Rahmen bescheidener Familienkurorte, wie sie im Kanton Glarus, im Appenzell und Toggenburg zu finden sind. Die gewaltigen Gebirgsformationen des Säntis, der Churfirsten und Mythen umstehen und beschützen die hügeligen Talschaften und Triften. Alles Himmelslicht jedoch, das diese engen Hochtäler, Alpweiden und Wiesen beschenkt, scheint sich in den kleinen Seen, diesen träumenden Augen geheimnisvoller Bergwelt, im unberührten Frieden erdentrückter Höhen sanft zu spiegeln.

In solcher Umgebung erhält altes Brauchtum sich zäher als anderswo, wovon bunte Volkstrachten, Alpaufzüge oder die Appenzeller Bauernmalerei Kunde geben. Im ganz vom ausgedehnten Industriekanton St. Gallen umschlossenen Appenzell lebt noch vielerlei häusliche Kunstfertigkeit, die auch in den farbenfrohen Fassaden appenzellischer Renaissance- und Barockhäuser zum Ausdruck kommt. Edelste Barockbaukunst blüht in St. Gallen und am Bodensee. Die Stiftskathedrale der hochgelegenen Stadt ist eine der schönsten Kirchen der Schweiz. Im Frühmittelalter wirkte die Klostergründung des Kolumban-Jüngers Gallus als geistiger Mittelpunkt Europas nördlich der Alpen, in deren Mauern das erste lateinisch-deutsche Wörterbuch, die frühesten Übersetzungen klassischer Texte entstanden und eine der wertvollsten Bibliotheken des Kontinents geschaffen wurde. Die Namen Notker und Ekkehart gehören der Weltliteratur an.

Die Stadt ist Mittelpunkt der schweizerischen Textilindustrie, deren Erzeugnisse – besonders die kostbaren Sanktgaller Spitzen – den Ruhm der Gegend in alle Welt hinaustragen. Über den Lauf des Rheins hinweg greift der Kanton Schaffhausen ins baden-württembergische Deutschland; ein Kleinod der heitern Kantonshauptstadt bildet das Kloster Allerheiligen. Zwei der volkstümlichsten Sehenswürdigkeiten der Schweiz befinden sich in diesem Landesteil: der jährlich von anderthalb Millionen Schaulustigen besuchte Rheinfall bei Neuhausen und Stein am Rhein, eines der besterhaltenen alten Schweizer Städtchen mit Brunnen und Tor, Erkern und bemalten Hauswänden, das im gotischen St.-Georgen-Kloster ein Museum besitzt. Der bedeutendste Kurort der Nordostschweiz ist Bad Ragaz im Rheintal, während die idyllischen Feriendörfer am Südufer des Bodensees sich zwischen mächtigen Industriegemeinden verbergen. Wer sie zu finden weiss, wird immer wieder an diese lauschigen Gestade mit dem Blick über den weiten Spiegel des Bodensees zurückkehren, um dort, an der Nordostgrenze des Landes, ein Stück heiterster Schweizer Landschaft zu geniessen.

Zurich et la Suisse du Nord-Est

Parmi les aéroports européens celui de Kloten, à Zurich, occupe le huitième rang. Notre plus grande ville est devenue ainsi, à l'âge des communications aériennes, la porte d'entrée de la Suisse. Jadis gardienne des cols alpestres, puis, après le percement du Gothard et du Simplon, grande voie de transit ferroviaire entre l'Allemagne, l'Autriche, la France et l'Italie, la Suisse est aujourd'hui, grâce à Kloten et à Cointrin (aéroport de Genève), une plaque tournante de l'Europe qui voit affluer, sur les bords de la Limmat et du Rhône, les personnalités éminentes, les idées neuves et les hommes d'affaires du monde entier. La Bahnhofstrasse, avec ses magasins élégants, ses hôtels de tradition, ses restaurants et ses confiseries réputées, contribue à la renommée touristique de Zurich. Dans la vieille ville, qui vit naître le dadaïsme au temps de la Première Guerre mondiale, Gottfried Keller fréquentait en habitué un des cafés de l'époque; quant à Conrad Ferdinand Meyer, il résidait dans sa tour d'ivoire confortable et spacieuse, sur les bords du lac, où Richard Wagner aussi avait trouvé un refuge propice à son génie dans la belle villa Wesendonck, qui abrite aujourd'hui les collections d'art von der Heydt. Ce n'est pas le moindre titre de gloire de la métropole de la Limmat que d'avoir su faire un généreux usage du droit d'asile, et d'avoir ainsi insufflé un esprit nouveau dans la citadelle jadis fermée du protestantisme, où les héritages de Zwingli et de Hans Waldmann sont curieusement associés. L'Ecole polytechnique fédérale compte parmi les foyers européens de culture scientifique et technique; la «Neue Zürcher Zeitung» (Nouvelle Gazette de Zurich) est réputée l'un des meilleurs quotidiens du monde; pendant la période d'éclipse culturelle en Allemagne, le Théâtre de Zurich (le «Schauspielhaus») tint la vedette de l'art dramatique en langue allemande. Les collections d'art Bührle, au Kunsthaus de Zurich, et Oskar Reinhart, à Winterthur près Zurich, comptent parmi les plus prestigieuses d'Europe; cette ville où prospère la branche majeure de l'industrie suisse d'exportation: celle des machines.

De même qu'il existe à Zurich une rue des Vignobles, la Weinbergstrasse, dont les ceps ont depuis longtemps cédé la place aux immeubles de béton, on peut aujourd'hui encore parvenir par la rive du lac à de vieux villages vignerons, dont les coteaux verdoyants voisinent avec d'élégantes banlieues résidentielles. La dynamique métropole semble désormais s'étendre presque sans interruption autour de son lac allongé vers le sud; elle laisse cependant subsister la campagne. Rapperswil, au pied de son magnifique château dont les couleurs flammées rappellent qu'on ne se trouve plus à Zurich, mais dans le canton de Saint-Gall, revendique le titre de «ville des roses». Mais voici que la scène change brusquement au bord du lac de Walenstadt, que dominent d'abruptes falaises rocheuses. Liszt, qui en a célébré le charme mélancolique, n'a pas été insensible au romantisme plus secret de la Suisse du Nord-Est. Le tourisme, qui, ailleurs, s'est développé avec tant d'éclat, se borne ici aux villégiatures champêtres qu'offrent les modestes stations de Glaris, d'Appenzell et du Toggenbourg. Les puissants massifs du Säntis, des Churfirsten et des Mythen enserrent des vallons accidentés et des alpages. La lumière qui y pénètre se reflète dans de petits lacs, qui s'ouvrent çà et là comme les yeux emplis de rêve de ce mystérieux pays.

Dans un pareil environnement, les vieilles coutumes se sont maintenues avec ténacité, ainsi que le prouvent les costumes régionaux, les montées à l'alpe et la peinture paysanne de l'Appenzell. Dans ce petit canton, enclavé dans celui de Saint-Gall, de vieilles formes d'art villageoises subsistent et égaient de vives couleurs les façades Renaissance ou baroques des anciennes maisons. A Constance et sur les rives de son lac, l'art baroque a produit ses plus purs chefs-d'œuvre. L'abbatiale de Saint-Gall, notamment, compte parmi les plus belles églises de Suisse.

Le couvent fondé par saint Gall, disciple de saint Colomban, fut, au nord des Alpes, le grand foyer spirituel du Haut Moyen Age, avec le premier dictionnaire latin-allemand et les premières traductions de textes classiques, tandis que s'y constituait une des plus belles et des plus riches bibliothèques du continent. Les noms de Notker et d'Ekkehart sont entrés dans l'histoire mondiale de la littérature. La ville même est le centre de l'industrie textile suisse; ses produits, parmi lesquels on compte les célèbres dentelles de Saint-Gall, ont propagé son nom dans le monde entier. Au-delà du Rhin, le canton de Schaffhouse insère un fragment de terre helvétique dans le «fremde Land» de Bade-Wurtemberg. L'ancien couvent Allerheiligen, qui abrite un musée remarquable, est une des nombreuses curiosités de l'attrayante capitale du canton, qui en compte lui-même deux autres, parmi les plus populaires de Suisse: les chutes du Rhin à Neuhausen, que visitent bon an mal an un million et demi de touristes, et la petite ville de Stein am Rhein, admirablement conservée, avec ses fontaines et ses portes, les encorbellements et les fresques murales de ses vieilles maisons, et son musée qu'abrite le cloître gothique de Saint-Georges. La ville d'eaux la plus importante de cette région de la Suisse est Bad Ragaz dans la vallée du Rhin, mais on ne saurait oublier les idylliques et accueillants villages qui, sur la rive sud du lac de Constance, s'abritent dans la verdure entre les complexes industriels des villes voisines. Celui qui sait les découvrir reviendra souvent vers ces lieux de sereine retraite ouverts sur le vaste horizon du lac, à l'extrémité nord-est de notre pays.

Zurich and North-East Switzerland

Zurich-Kloten occupies eighth place among European airports, and the largest city of Switzerland has thus become its gateway in the age of air transport. In past centuries Switzerland was pre-eminently the guardian of the Alpine passes and then, when the Gotthard and Simplon tunnels were constructed, it became directly associated with Italy and closely linked by international trains with France, Germany and Austria. Today Zurich-Kloten and Geneva-Cointrin have made the country the crossroads of the Continent and bring outstanding personalities, fresh ideas, and worldwide economic contacts to the banks of the Limmat and the Rhone. The fine shops of the Bahnhofstrasse, the hotels and confectioner's shops with their old traditions, have earned Zurich a world-wide reputation as a place for foreigners to visit. In its old quarter, which was the birthplace of the Dada movement during World War I, Gottfried Keller used to visit his favourite tavern, whereas Conrad Ferdinand Meyer had a poet's retreat, and a very handsome one, by the Lake of Zurich, and Richard Wagner found the refuge he needed for his creative work in the splendid Wesendonck villa, which today houses the von der Heydt Art Collection. Zurich may justly claim to have granted its traditional right of asylum in a generous manner and this has brought a social and intellectual leavening to this once grimly defended stronghold of Protestantism where Zwingli's heritage formed a curious blend with that of Hans Waldmann. The Swiss Federal Institute of Technology enjoys a European reputation, and the "Neue Zürcher Zeitung" is considered one of the world's top daily newspapers. During the dark days in Germany the Zurich Playhouse became the leading stage of the German-speaking theatre. The Bührle art collection in the Kunsthaus in Zurich is famous throughout Europe, as is also the Oskar Reinhart collection in nearly Winterthur, one of the main centres of the engineering industry whose products loom so large in Swiss export figures.

Just as there is a Weinbergstrasse (Vine Street) in Zurich, where long ago the vines were uprooted to make way for modern buildings, so the traveller proceeding along the lake shore will soon come to ancient wine-growing villages where the vine thrives on the smiling slopes, and residential areas merge naturally into peaceful rural haunts. Today the busy city seems to have almost completely encircled the sprawling lake, but this does not mean that the country-side has been engulfed. Rapperswil and its proud castle, which sets such store by the fact that it stands on St. Gall and not Zurich soil, can make a good claim to the title of "the town of roses". There is a transformation scene as one approaches Lake Walen, which stretches in silence below, a grim rock wall. Franz Liszt has echoed its melancholy showing that North-East Switzerland can also strike a responsive chord in the romantic sensibility. Yet tourism, which elsewhere was nourished by such emotive scenes, is here restricted to holidays in modest family resorts such as are to be found in the canton of Glarus, in the Appenzell and Toggenburg. The giant forms of the Säntis, Churfirsten and Mythen encircle and shield the hilly valleys and meadows. All the light shed from the sky on these narrow upland valleys, Alpine meadows and pastures seems to be gathered and gently reflected in the tiny lakes which, amidst this eldritch mountain world, shine like dreaming eyes in the unbroken peace of these transcendental heights. In such an environment as this, old customs are more tenacious of life than elsewhere, and brightly coloured peasant costumes, the annual procession of cattle to the summer alps, and the peasant art of the Appenzell testify to their persistence. Ringed round by the extensive industrial canton of St. Gall, Appenzell still cherishes a variety of domestic arts and skills, evidence of which is plain to see in the colourful façades of the Renaissance and Baroque houses of the canton. Baroque architecture in its noblest form can be found in St. Gall and by the Lake of Constance. The Cathedral in St. Gall is one of the most beautiful churches in Switzerland. Founded in the early Middle Ages by Gall, a disciple of St. Columban, the monastery became the intellectual centre north of the Alps and within its walls the first Latin-German dictionary was compiled, the earliest translations of classical texts were made, and one of the most valuable libraries in Europe was assembled. The town is the centre of the Swiss textile industry, the products of which—particularly delicate St. Gall laces—have carried the name of the region to the ends of the earth. Part of the canton of Schaffhausen extends over the waters of the Rhine to form a sort of enclave on German soil in Baden-Württemberg. All saints' Abbeys is one of the architectural gems in this light-hearted cantonal capital. Two of the most popular sights in Switzerland are to be found in this part of the country: they are the Rhine Falls near Neuhausen, which are visited every year by a million and a half people, and Stein am Rhein, one of the best preserved of old Swiss towns with gates, fountains, oriel windows and painted house façades. It boasts a museum in the Gothic Abbey of St. George. The most important resort in North-East Switzerland is Ragaz Spa in the Rhine Valley, while idyllic holiday villages on the southern shore of the Lake of Constance nestle between municipalities where important industries are established. Anyone who has once come to know this pleasant strand with its views over the vast waters of Lake Constance will return there ever and again, for this region on the north-eastern frontier of the country is one of the friendliest and most ingratiating in the whole of Switzerland.

Zurich y el Nordeste de Suiza

Entre los aeropuertos europeos, el de Kloten, en Zurich, ocupa el octavo puesto. La ciudad más grande de nuestro país se ha convertido así, en la edad de las comunicaciones aéreas, en la puerta de entrada de Suiza. Guardiana, en otros tiempos, de los puertos alpinos y, más adelante, después de la perforación de los túneles del San Gotardo y del Simplón, gran vía de tránsito ferroviario entre Alemania, Austria, Francia e Italia, Suiza es actualmente, gracias a Kloten y a Cointrin (aeropuerto de Ginebra), una placa giratoria de Europa, adonde afluyen –a orillas de los ríos Limmat y Ródano– personalidades eminentes, ideas nuevas y hombres de negocio del mundo entero. La Calle de la Estación, con sus comercios elegantes, sus hoteles de tradición, sus confiterías y sus restaurantes reputados, contribuye al renombre turístico de Zurich. En la ciudad vieja, que vio nacer el dadaísmo en los tiempos de la primera guerra mundial, Gottfried Keller frecuentaba, como cliente asiduo, uno de los cafés de la época; en cuanto a Conrad Ferdinand Meyer, residía en su torre de marfil confortable y espaciosa, a orillas del lago, donde Ricardo Wagner había encontrado igualmente un refugio propicio a su genio, en la hermosa villa Wesendonck, que cobija actualmente las colecciones de arte de Von der Heydt. Un gran título de gloria de la metrópoli del río Limmat es haber sabido hacer un uso generoso del derecho de asilo y haber insuflado así un espíritu nuevo en la ciudadela, antaño tan cerrada, del protestantismo, donde las herencias de Zwinglio y de Hans Waldmann se hallan curiosamente asociadas. La Escuela Politécnica Federal es uno de los grandes centros europeos de cultura científica y técnica; la «Neue Zürcher Zeitung» se considera como uno de los mejores diarios del mundo; durante el período de eclipse cultural en Alemania, el Teatro de Zurich (el «Schauspielhaus») fue el más importante centro de arte dramático de lengua alemana. Las colecciones de arte Bührle, en el Kunsthaus de Zurich, y Oskar Reinhart de Winterthur, cerca de Zurich, están a la altura de las más prestigiosas de Europa. esa ciudad donde prospera el sector principal de la industria suiza de exportación, el de la maquinaria. Así como existe en Zurich una Calle de los Viñedos, la «Weinbergstrasse», cuyas cepas cedieron, hace muchísimo tiempo ya, su sitio a los inmuebles de hormigón, puede llegarse aún hoy por la ribera del lago, a viejas aldeas viti-vinícolas, donde los verdes viñedos alternan con elegantes barrios residenciales. La dinámica metrópoli se va extendiendo casi sin interrupción alrededor de su lago de forma alargada hacia el Sur; deja, no obstante, subsistir el campo. Rapperswil, al pie de su magnífico castillo, cuyos colores llameados recuerdan que no estamos ya en Zurich, sino en el cantón de San Gall, reivindica título de «ciudad de las rosas». Mas he aquí que el paisaje cambia brus-

camente a orillas del lago de Walenstadt, que dominan abruptos acantilados rocosos. Liszt, quien celebró su encanto melancólico, no fue insensible al romanticismo más secreto de la Suiza nordestal. El turismo que, en otras partes, se desarrolló con tanto brillo, se limita aquí a los veraneos rústicos, que ofrecen las modestas estaciones de Glaris, de Appenzell y del Toggenburgo. Los poderosos macizos montañosos del Säntis, de los Churfirsten y de los Mythen, encierran estrechos valles accidentados y pastos alpestres. La luz que en ellos penetra, se refleja en pequeños lagos, que se abren aquí y allá como los ojos llenos de ensueños de este misterioso país.
En semejante paisaje, las viejas costumbres son mantenidas con tenacidad, como lo prueban los trajes regionales, las subidas a los pastos altos y la pintura campesina de Appenzell. En este pequeño cantón, enclavado en el de San Gall, subsisten viejas formas de arte pueblerino, que alegran con vivos colores las fachadas de estilo renacimiento o barroco de las casas antiguas. En Constanza y en las orillas del lago de Constanza, el arte barroco produjo sus obras maestras más puras. La catedral abacial de San Gall es una de las más hermosas iglesias de Suiza. El monasterio fundado por San Gall, discípulo de San Colombano, fue –al Norte de los Alpes– el gran centro espiritual de la edad media, donde fueron compuestos el primer diccionario latín-alemán y las primeras traducciones de textos clásicos, al tiempo que en él fue creada una de las más bellas y de las más ricas bibliotecas del continente. Los nombres de Notker y de Ekkehart entraron en la historia mundial de la literatura. La ciudad propiamente dicha es el centro de la industria textil helvética; sus productos, entre ellos los célebres encajes de San Gall, propagaron su nombre por el mundo entero. Al otro lado del Rin, el cantón de Schaffhouse inserta un fragmento de tierra helvética en la provincia alemana de Bade-Wurtemberg. El antiguo monasterio de Allerheiligen, con su notable museo, es una de las numerosas curiosidades de la capital del cantón, que tiene otras dos, entre las más populares de Suiza: las cataratas del Rin en Neuhausen –visitadas anualmente por millón y medio de turistas– y la pequeña ciudad de Stein en el Rin, magníficamente conservada, con sus fachadas entramadas y cubiertas de frescos, sus fuentes y puertas y su museo en el claustro gótico de San Jorge. La ciudad balnearia más importante de esta región suiza es Ragaz-les-Bains en el valle del Rin. No deben pasarse por alto los idílicos y acogedores pueblos que, al Sur del lago de Constanza, se esconden en la verdura, que separa los complejos industriales de las ciudades vecinas. El que sabe descubrirlos, volverá a menudo a estos lugares de retirada serana, abierta al vasto horizonte del lago, en la extremidad nordoriental de nuestro país.

← Flughafen Zürich-Kloten: ein Knotenpunkt des internationalen Flugverkehrs

L'aéroport de Zurich-Kloten, au carrefour des grandes lignes aériennes internationales

Zurich-Kloten airport, a focal point of international air traffic

El aeropuerto de Zürich-Kloten, en la encrucijada de las grandes líneas internacionales

Blumenmarkt unter den Spitzbogen der Zürcher Altstadt am Limmatquai

A Zurich, marché aux fleurs sous les arcades de la vieille ville

Flower market on the Limmat Quay in the old quarter of Zurich

Mercado de flores debajo de los pórticos de la vieja ciudad gótica de Zurich

Traditionelles Zürcher Volksfest: Sechseläuten mit Verbrennung des «Bööggs»

Le «Sechseläuten», fête populaire zurichoise où l'on brûle le «bonhomme Hiver»

«Six o'clock Chimes» and burning the «Böögg» – traditional Zurich fête

«Sechseläuten», fiesta de primavera en Zurich, con la quema del «Böögg»

Die Altstadt von Zürich, dominiert von den Glockentürmen des Grossmünsters →

La vieille ville de Zurich dominée par les clochers de la cathédrale

The old quarter of Zurich dominated by the Grossmünster

El barrio antiguo de Zurich queda dominado por las torres de la catedral

Benediktinerinnen in den Rebbergen des Klosters Fahr an der Limmat – eine aargauische Enklave im Kanton Zürich

Bénédictines dans les vignobles du couvent de Fahr, sur la Limmat – enclave argovienne dans le canton de Zurich

Benedictine nuns in the vineyards of the convent of Fahr—an Aargau enclave in the Canton of Zurich

Benedictinas en los viñedos del convento de Fahr, en la ribera del Limmat – enclave argoviano en el cantón de Zurich

Wichtiger Verbindungsweg von der Ostschweiz nach der Innerschweiz: der Seedamm von Rapperswil →

La digue de Rapperswil, grande ligne de communication entre la Suisse orientale et centrale

The causeway of Rapperswil is an important traffic link between Eastern and Central Switzerland

El dique de Rapperswil, importante vía de comunicación entre la Suiza Central y la Oriental

Für Enthusiasten: eine Segelpartie
auf dem winterlichen Zürichsee

Sur le lac de Zurich, l'hiver ne
décourage pas les fervents de la voile

For enthusiasts: a sailing match
on the Lake of Zurich in winter

En el lago de Zurich, el invierno no
arredra a los entusiastas de la vela

Braunwald im Kanton Glarus:
Blick auf Linthal

Braunwald dans le canton de Glaris:
vue sur Linthal

Braunwald in the Canton of Glarus:
view towards Linthal

Braunwald, en el cantón de Glaris:
vista sobre Linthal

→

← Oberhalb Sargans:
der junge Rhein, durch
Verbauungen gebändigt,
strebt dem Bodensee zu

En amont de Sargans,
le Rhin, solidement endigué,
précipite sa course vers
le nord

Above Sargans: the
stripling Rhine, tamed by
embankments, rushes down
to Lake Constance

Más arriba de Sargans,
el joven Rin, domeñado
por el hombre, se dirige
hacia el lago de Constanza

Machtvoller Zeuge
feudaler Vergangenheit:
die Feste Sargans

Un témoin majestueux
du passé féodal:
le Château de Sargans

Sargans Castle, a mighty
relic of the feudal age

El castillo de Sargans,
testigo majestuoso de la
época feudal

Alpaufzug in der schmucken Toggenburger Sennentracht

La montée à l'alpage dans les costumes multicolores du Toggenbourg

Cattle in the Toggenburg moving up to summer pastures

La subida a los pastos alpinos, con los trajes multicolores del Toggenburg

Himmelslicht inmitten grüner Matten: ein Alpseelein im Toggenburg

Un petit étang alpestre reflète le ciel et la forêt du Toggenbourg

A patch of sky amidst green meadows: an alpine tarn in the Toggenburg

Espejo del entorno: estanque alpino circundado de verdes prados

Unverkennbares Toggenburg mit der Felskulisse der Churfirsten →

Au pied des rochers des Churfirsten dans le Toggenbourg

The distinctive scenery of the Toggenburg, with the rocks of the Churfirsten

Al pie de las peñas del Churfirsten, en el Toggenburg

Volksbrauch aus heidnischer Vorzeit: Masken aus Appenzell Ausserrhoden am Alten Silvester (13. Januar)

Un héritage du paganisme: les masques des Rhodes-Extérieures d'Appenzell à la Vieille St-Sylvestre (13 janvier)

A popular custom from the pagan past. Masks from Appenzell Outer Rhodes on the old New Year's Eve (January 13)

Una herencia del paganismo: las máscaras del Rhoden exterior del Appenzell, en el antiguo San Silvestre (13 de enero)

→

Die Felsbastion des Schäflers im zerklüfteten Säntisgebirge

Les bastions rocheux du Schäfler, dans le massif escarpé du Säntis

The rocky bastion of the Schäfler in the rugged Säntis massif

El bastión rocoso del Schäfler en la escarpada sierra de Säntis

Butzenscheiben und Fresken am Appenzeller Renaissance-Rathaus

Vitres en culs-de-bouteille et fresques de l'Hôtel de Ville d'Appenzell

Bull's-eye panes and frescos of the Renaissance Town Hall of Appenzell

Frescos en el Ayuntamiento renacentista de Appenzell

Lebendig und traditionsbewusst: die Appenzeller Volkskunst

Peintre appenzellois fidèle à la tradition populaire

Appenzell peasant art combines tradition and vitality

Vivo y respetuoso de las tradiciones: el arte popular de Appenzell

Reichbemalte Hausfassade einer alten Drogerie in Appenzell →

Façade richement peinte d'une ancienne droguerie à Appenzell

Richly painted façade of an old drugstore in Appenzell

Fachada ricamente pintada de una antigua droguería de Appenzell

Salbei
Lawendel
Feuermohn
Löwen-
Drogerie
HANS DOBLER

← St. Gallen, Metropole der Ostschweiz und Hüterin einer einzigartigen barocken Klosteranlage

Au cœur de la ville de Saint-Gall: le pittoresque ensemble baroque de la vénérable abbaye

St. Gall, metropolis of Eastern Switzerland, cherishes the fine buildings of the erstwhile monastery

El sin par monasterio barroco de San Gall, capital de la Suiza Oriental

Im Lied besungenes Wahrzeichen: der Munot in Schaffhausen, mittelalterliche Verteidigungsanlage

A Schaffhouse: la forteresse médiévale du Munot que célèbre une chanson populaire

The Munot in Schaffhausen, part of the medieval fortifications

La fortaleza medieval de Munot, celebrada en la canción, síntesis de Schaffhouse

Schaffhausen: Kreuzgang des ehemaligen Benediktinerklosters Allerheiligen, heute berühmt durch sein Museum

Cloître de l'ancien couvent des bénédictins qui abrite aujourd'hui le célèbre Musée Allerheiligen de Schaffhouse

Schaffhausen: cloister of the former Benedictine monastery of All Saints, now famous as a museum

Claustro del antiguo convento benedictino de Todos los Santos (Schaffhouse), hoy sede de un famoso museo

← Bei Salenstein, im Thurgau: Fruchtgärten säumen die Ufer des Untersees

Vergers sur les rives du lac Inférieur, près de Salenstein en Thurgovie

Near Salenstein, in Thurgau: orchards border the Lower Lake of Constance

Las huertas de Salenstein, Turgovia, adornan las riberas del Untersee

Ruderboote und Fangnetze: unentbehrlich für die Fischer am Bodensee

Canots et filets sont indispensables aux pêcheurs du lac de Constance

Every fisherman on Lake Constance is equipped with a rowing boat and net

Botes y redes: instrumentos de trabajo de los pescadores del lago de Constanza

Am Bodensee wie überall: renommierte Gaststätten in freundlichen Dörfern

Au lac de Constance comme ailleurs, d'accueillantes auberges villageoises

Like everywhere else, the Lake of Constance has its famous restaurants

Junto al lago de Constanza: por doquier afamadas posadas y acogedoras aldeas

Der Rheinfall bei Schaffhausen: vielbestauntes Naturschauspiel →

L'impressionnant spectacle des chutes du Rhin près de Schaffhouse

The Rhine Falls near Schaffhausen: a spectacle of unfailing grandeur

El grandioso espectáculo natural de las cascadas del Rin, cerca de Schaffhouse

Graubünden

In diesem flächenmässig grössten, aber am schwächsten besiedelten Kanton verdichtet sich die Mannigfaltigkeit der Alpen zu ihrem eindrucksvollsten Bilde. Auf Schritt und Tritt stösst der Fremde auf Zeugen alter Kultur, die sich am eigenartigsten im Sprachenreichtum spiegelt: ausser der französischen sind in Graubünden alle schweizerischen Zungen vertreten. Der freie Zusammenschluss der drei «Bünde» entstand wie derjenige der Urkantone als Abwehr gegen Habsburg. Im sechzehnten und siebzehnten Jahrhundert geriet das Gebiet in den Zwist der mächtigen, mit Frankreich verbündeten Stadtrepublik Venedig und der Koalition Spanien–Österreich, deren blutige Fehden während des Dreissigjährigen Krieges auch die Täler des jungen Rheins und Inns ergriffen, bis die kluge Politik von Jürg Jenatsch das Land in friedlichere Zeiten hinübersteuerte; 1803 trat Graubünden der Eidgenossenschaft als fünfzehnter Kanton bei. Hauptstadt ist der überlieferungsreiche Bischofssitz Chur. Als Schlüsselpunkt des alpinen Durchgangsverkehrs wurde diese einstige Keltensiedlung zum Castrum Curia Raetorum. Einen Hinweis auf den Ursprung des lateinischen Ortsnamens gewährt noch der «Hof» bischöflicher Verwaltungsgebäude, die nebst der aus dem spätern Mittelalter stammenden Kathedrale von der jahrhundertelang ausgeübten Macht der geistlichen Herren künden.

Auf der Karte tritt uns Graubünden als unübersehbares Gewirr von Tälern entgegen, deren Quellen und Flüsse sich durch den Rhein in die Nordsee, über Etsch und Po in die Adria, mit der Donau ins Schwarze Meer ergiessen. Von der Innerschweiz gelangt man über den Oberalppass ins Surselva, das ruhig abfallende Tal des Vorderrheins, dessen Wahrzeichen die Benediktinerabtei Disentis und die wappengeschmückten Bürgerhäuser von Ilanz, der «ersten Stadt am Rhein», einst Hauptort des Grauen Bundes und Schauplatz des Religionsgespräches von 1526, sind. Südwärts zweigt die Lukmanierstrasse durchs Medelsertal nach dem Tessin ab; in gleicher Richtung weisen Lugnez- und Valsertal mit ihren freundlich über waldreiche Hänge verstreuten Dörfern. Bei Reichenau vereinigt sich der Vorder- mit dem Hinterrhein, ändert bei Chur seinen Lauf und bildet erst die Kantons-, dann die Landesgrenze gegen das Fürstentum Liechtenstein und Österreich. Zwischen den mächtigen Längstälern des Rheins und Inns durchziehen vielfältige Schluchten und Einschnitte in nord-südlicher Richtung das gewaltige Gebirgsland: das dichtbewaldete Schanfigg, das burgengeschmückte Domleschg, das von Tiefencastel aus in allmählicher Steigung dem Julierpass zustrebende Oberhalbstein. Der Weg von Chur nach Lenzerheide und über den Julier ins Engadin war lange Zeit der einzige auch im Winter befahrbare Alpenübergang zwischen der nördlichen Schweiz und Italien. Es ist diese Schlüsselstellung der rätischen Alpenpässe, die Graubünden schon in vorrömischer Zeit zu europäischer Bedeutung bestimmte; ihre Krönung vollzog sich zu Beginn dieses Jahrhunderts durch das technische Meisterwerk der Albulabahn und 1967 mit der Eröffnung des Strassentunnels am San Bernardino. Diese zweite schweizerische Nord-Süd-Verbindung mit Ganzjahresbetrieb wird nach vollendetem Ausbau der gesamten Strecke zu den grossen Verkehrsadern des Kontinents gehören und Graubünden seine historische Bedeutung auf verkehrspolitischer Ebene wiedergeben. Sie begleitet den Hinterrhein bis Thusis, durchsticht in kühnen Kunstbauten die senkrechten Felswände der einst berüchtigten Via Mala und berührt an deren Südausgang das Dörfchen Zillis, dessen unscheinbares Kirchlein eine romanisch bemalte Decke aufweist, die unter Kunstfreunden Weltruf erlangte. Die Strasse durchzieht dann das Rheinwaldtal und erreicht beim südlichen Tunnelausgang den kleinen Kurort San Bernardino. Der Name verrät, dass man sich hier schon auf italienischsprachigem Boden, im Misox, befindet, als dessen Wahrzeichen das mittelalterliche Kastell gleichen Namens emporragt. In nördlicher Richtung verläuft das abgelegene Calancatal.

Davos und Arosa, einst dank ihrer Lungenheilstätten weit über die Landesgrenze hinaus berühmt, haben ihren Charakter vollständig gewandelt und zählen längst zu den bedeutendsten Wintersportplätzen der Alpen, deren mondäne Kulmination im Engadin zu suchen ist. Auf fast hundert Kilometern Länge dehnt sich dieses einzigartige Hochtal vom Malojapass über die Oberengadiner Seen auf 1800 Metern als nordöstlich verlaufender Diagonaleinschnitt bis nach Martinsbruck an der österreichischen Grenze aus.

Auf der Fahrt ins Engadin werden die Ortsnamen heller, vokalreicher, romanischer: Namen wie Savognin, Tinizong, Sur, aber auch Bivio, Celerina, Silvaplana klingen wie Musik. Wer, sicher geführt im Postauto oder am Lenkrad des eigenen Wagens, zwischen den Römersäulen der Julierhöhe hindurchgefahren ist, um den überwältigenden Abstieg ins Oberengadin zu unternehmen, wird einen Hauch von der reinen Luft, dem unvergleichlichen Licht dieser wohl berühmtesten Talschaft der Alpen verspüren, die aristokratische Kultur des geschichtsträchtigen Landes, das grosse Geister wie die Grossen der Erde gleichermassen bezaubert hat, begreifen. Maloja- und Berninapass führen wiederum in bündnerische Täler italienischer Zunge – das Bergell ist die Heimat der Künstlerfamilie Giacometti, das Puschlav die vielleicht lieblichste Landschaft Graubündens. Spiegelt sich selbst in den Hotelpalästen von St. Moritz und Pontresina patrizischer Geist, so offenbart das Unterengadin in den weissgekalkten, sgraffitogeschmückten Häusern von Guarda, Zuoz und Scuol den Schönheitssinn des Volkes. Durch den Schweizerischen Nationalpark geht es über den Ofenpass ins Münstertal, wo den Reisenden kurz vor der Landesgrenze ein architektonisches Kleinod überrascht: die Kirche des von Karl dem Grossen gegründeten Benediktinerinnenklosters Müstair mit kostbaren Fresken.

Les Grisons

Ce canton, le plus vaste par la superficie, mais le moins densément peuplé, est celui où la magnificence des Alpes se déploie avec le plus d'éclat. Dans toutes les vallées se succèdent les vestiges d'une civilisation ancienne où, à l'exception du français, tous les idiomes nationaux de la Suisse ont cours. De même que dans la Waldstätte, c'est par opposition aux Habsbourg que s'allièrent les trois «Ligues» qui constituaient le pays. Au XVIe et au XVIIe siècle, celui-ci fut entraîné dans la querelle qui opposait la puissante République de Venise, alliée de la France, à la coalition austro-espagnole; les sanglants épisodes de cette rivalité n'épargnèrent pas les vallées du Rhin et de l'Inn pendant la guerre de Trente Ans, jusqu'à ce que la sage politique de Jürg Jenatsch parvint à en protéger le pays. En 1803, les Grisons devinrent le quinzième canton de la Confédération, avec pour capitale Coire, ville d'ancienne tradition et siège d'un évêché. Occupant une position clé à un carrefour des vallées alpestres, cette ancienne colonie celtique devint le Castrum Curia Raetorum des Romains. L'origine latine du nom est évoquée par le groupe des bâtiments de la «curie» épiscopale et atteste, à côté de la cathédrale médiévale, le pouvoir temporel des évêques au cours des siècles passés.

Les Grisons nous apparaissent sur la carte comme un inextricable enchevêtrement de vallées, dont les rivières qui y prennent naissance finissent, tour à tour, dans la mer du Nord en s'unissant au Rhin, dans l'Adriatique par l'Adige et le Pô, ou dans la mer Noire par le Danube. Le col d'Oberalp relie la Suisse centrale à Surselva, la vallée du Rhin antérieur, le long de laquelle se succèdent l'abbaye bénédictine de Disentis, les maisons patriciennes armoriées d'Ilanz, «première ville rhénane», jadis chef-lieu de la Ligue grise où se tint en 1526 un célèbre colloque religieux. Vers le sud, la route du Lukmanier, qui traverse le val Medel, conduit au Tessin, auquel confinent aussi les vallées boisées de Lugnez et du Valsertal, avec leurs riants villages. Reichenau est situé au confluent des Rhins antérieur et postérieur, dont le cours, orienté vers le nord à partir de Coire, servira plus loin de frontière entre les Grisons et le canton de Saint-Gall, puis entre la Suisse et les Etats voisins de Liechtenstein et d'Autriche. Entre les grandes vallées longitudinales du Rhin et de l'Inn, des gorges et des vallées latérales sillonnent du nord au sud cette vaste région montagneuse; ce sont tour à tour le Schanfigg, et ses belles forêts, le Domleschg riche en châteaux forts que prolonge, à partir de Tiefencastel, l'Oberhalbstein qui s'élève graduellement jusqu'au col du Julier. La route de Coire au Julier, praticable aussi en hiver, fut pendant longtemps la seule liaison transalpine avec l'Engadine et, au-delà, avec l'Italie. La position clé de ses cols alpestres conféra aux Grisons, même avant l'époque romaine, une importance européenne, qui augmenta encore lorsque furent ouverts, au début du siècle, le chemin de fer de l'Albula dont le tracé est un chef-d'œuvre, puis, en 1967, le tunnel routier du San Bernardino. Cette seconde liaison nord-sud praticable toute l'année rendra aux Grisons leur ancienne importance historique dans le domaine des grandes voies de communications continentales; elle remonte jusqu'à Thusis le long du Rhin postérieur, traverse grâce à d'audacieux ouvrages d'art les parois abruptes qui ont valu à la Via Mala son inquiétante renommée, atteint ensuite le village de Zillis, dont la petite église, d'apparence insignifiante, renferme un plafond peint à caissons de la période romane, qui compte parmi les plus beaux du monde, puis, après avoir longé le Rheinwaldtal, aboutit, après la traversée du tunnel, à la petite station touristique de San Bernardino; ce nom révèle que l'on a passé sur le versant de langue italienne, dans le val Mesocco dont le château élève vers le ciel ses puissantes murailles. Davos et Arosa, naguère réputés comme lieux de cure des maladies pulmonaires, ont opéré depuis longtemps déjà leur reconversion en grandes stations alpines de sport. Elles ne sont dépassées que par celles de l'Engadine, cette haute vallée extraordinaire, longue de près de 100 kilomètres entre le col de la Maloja, les lacs de Sils et de Silvaplana, et la frontière autrichienne à Martinsbruck, soit entre 1800 et 1000 mètres d'altitude.

Que de noms mélodieux dans ces vallées romanes: Savognin, Tinizong, Sur, Bivio, Celerina! Celui qui a franchi en voiture ou en car postal les «colonnes romaines» du col du Julier n'oublie ni la pureté de l'air ni l'incomparable lumière qui l'accueillent à sa descente vers cette vallée, la plus célèbre des Alpes, exemple unique de civilisation raffinée en haute montagne, à laquelle se sont attachés nombre de grands hommes et de grands esprits. Par les cols de la Maloja et de la Bernina, on rejoint les autres vallées grisonnes de langue italienne: le val Bregaglia, berceau de la célèbre famille d'artistes Giacometti, et la riante vallée de Poschiavo. Très loin des palaces aristocratiques de Saint-Moritz et de Pontresina, la Basse-Engadine et ses maisons richement décorées, à Guarda, à Zuoz, à Scuol, témoignent du sens esthétique de la population. Par l'Ofenpass, après avoir traversé le Parc national, on parvient, près de la frontière italienne, au village de Müstair, qui possède d'admirables fresques dans l'église d'un couvent de bénédictines fondé par Charlemagne.

Grisons

Here, in the largest and least populous of the cantons, all the rich variety of the Alps is found in its most impressive and quintessential form. At every turn the visitor comes across evidence of a deep-rooted culture which is reflected most strikingly in the linguistic diversity of the region: with the exception of French all the languages spoken in Switzerland are represented in the Grisons. The freely formed alliance between the three "leagues" owed its origin, like that of the Central Swiss cantons, to the desire to make common cause against the Habsburgs. In the 16th and 17th centuries the area became implicated in the quarrel between the powerful City Republic of Venice, which was allied with France, and the Austro-Spanish coalition, and the bloody feuds of the Thirty Years War also affected the valleys of the stripling Rhine and Inn until the wise policies of Jürg Jenatsch steered the country towards an era of peace. In 1803 the Grisons became the 15th canton to join the Confederation. The capital is Chur, a cathedral town rich in traditions. The Romans developed this former Celtic settlement into the Castrum Curia Raetorum because of its key position astride the highway over the Alps. An echo of the origin of the Latin name of the place is still found in the Court of episcopal administration buildings which, together with the Late Medieval Cathedral, bear testimony to the power of the Church down the centuries. Seen on the map, the Grisons is a bewildering labyrinth of valleys whose springs and rivers empty through the Rhine into the North Sea, through the Adige and Po into the Adriatic, and through the Danube into the Black Sea. Approaching by way of the Oberalp Pass from Central Switzerland, the traveller enters the Surselva, the gently sloping valley of the Vorderrhein. Here the landmarks are the Benedictine Abbey of Disentis and the burgher houses, richly decorated with coats of arms, of Ilanz, the "first town on the Rhine", formerly the capital of the Grey League and the scene of the religious colloquy of 1526.

To the south the Lukmanier road forks off to the Ticino through the Medelsertal; the Lugneztal and the Valsertal with their friendly villages scattered over well-wooded slopes trend in the same direction. At Reichenau the Vorderrhein and the Hinterrhein join company and change course at Chur to form first the cantonal boundary and then the national frontier with the Principality of Liechtenstein and Austria. Between the great longitudinal valleys of the Rhine and the Inn the intervening mass of mountains is deeply scored by ravines and gorges running from north to south: these include the thickly forested Schanfigg, the castle-studded Domleschg, and the Oberhalbstein which gently ascends from Tiefencastel towards the Julier Pass. For a long time the route from Chur to Lenzerheide over the Julier Pass into the Engadine was the only Alpine crossing between the north of Switzerland and Italy which was negotiable throughout the year. It was the control they exercised over the Rhaetian passes which made the Grisons a factor in European history even in pre-Roman times: and at the beginning of this century this importance was consummated by the technical feat of building the Albula railway and in 1967 by opening the San Bernardino road tunnel. This second Swiss all-year-round route between the north and south will, once it has been completed throughout its length, be one of the great highways of the Continent and will restore to the Grisons its historic position on the European communications and transport map. It runs alongside the Hinterrhein as far as Thusis, cuts through the vertical rock walls of the once notorious Via Mala by means of masterly feats of civil engineering construction and, at the southern exit, touches the tiny village of Zillis, whose inconspicuous church has a Romanesque painted ceiling which is the delight of art lovers everywhere. The road then runs through the Rheinwaldtal and, on issuing from the tunnel, reaches the small resort of San Bernardino. As the name indicates, we are here in Italianspeaking territory, in the Val Mesocco whose landmark is the towering medieval castle of Mesocco. The remote Calanca valley runs in a northerly direction.

Davos and Arosa, once famous for their sanatoria, have undergone a complete change of character and are now among the most important Alpine winter-sports resorts, which reach the acme of social distinction in the Engadine. This curious upland river basin runs from the Maloja Pass by way of the Upper Engadine lakes at a height of 6000 feet in a north-easterly direction and turns off slightly to Martinsbruck on the Austrian frontier, which is still some 3300 feet high. On the approach to the Engadine the place-names acquire more vowels and have a lighter and more Latin ring about them. Romanche—the fourth Swiss national language—has a peculiar charm: names like Savognin, Tinizong, Sur, and also Bivio, Celerina and Silvaplana are music to the ears. And the traveller in a postal motor coach or at the wheel of his own car safely passing through the Roman pillars atop the Julier Pass to start the intoxicatingly beautiful descent into the Upper Engadine will breathe in the pure air and revel in the incomparable light of this perhaps most famous of all Alpine valleys. Endowed with an aristocratic culture by the vicissitudes of history, this region has always held a deep appeal for distinguished minds as well as for prominent personalities in the social world. The Maloja and Bernina Passes give access to other Grisons valleys where Italian is spoken—the Bregaglia which is the home of the famous artist family of Giacometti, and the Poschiavo. If the patrician spirit of the region is reflected in the palace hotels of St. Moritz and Pontresina, the white-washed houses of Guarda, Zuoz and Scuol with their sgraffito decorations bear testimony to the sense of beauty innate in these people. The route to the Ofen Pass leads through the Swiss National Park and then into the Münstertal.

Los Grisones

Este cantón, el más vasto por su superficie, pero el menos densamente poblado, es en donde la magnificencia de los Alpes se despliega con más esplendor. En todos los valles se suceden los vestigios de una civilización antigua y en los cuales –a excepción del francés– todos los idiomas nacionales de Suiza son hablados. Lo mismo que en los Waldstätte, fue por oposición a los Habsburgo, que se aliaron las tres «Ligas» que constituían el país. En los siglos XVI y XVII, la región fue arrastrada en la querella que oponía la potente república de Venecia, aliada de Francia, a la coalición austroespañola; los sangrientos episodios de esta rivalidad asolaron también los valles del Rin y del Inn, durante la guerra de los Treinta Años, hasta que el circunspecto político Jürg Jenatsch logró proteger el país. En 1803, los Grisones ingresaron, como decimoquinto cantón, en la Confederación. Su capital es Coira, ciudad de antigua tradición y sede de un obispado. Por ocupar una posición clave en una encrucijada de los valles alpestres, esta antigua colonia céltica se convirtió en el Castrum Curia Raetorum de los romanos. El origen latino del nombre queda evocado por el grupo de edificios de la «curia» episcopal y atestigua el poder temporal de los obispos en el transcurso de los siglos pasados.

En el mapa, los Grisones se nos presentan como un embrollo inextricable de valles, cuyos ríos que en ellos nacen, terminan su curso, alternativamente, en el Mar del Norte, por unirse al Rin, en el Adriático, por el Adige y el Po, o en el Mar Negro, por el Danubio. El puerto de Oberalp establece la comunicación entre la Suiza central y Surselva, el valle del Rin anterior, a lo largo del cual se suceden la abadía benedictina de Disentis y las casas patricias blasonadas de Ilanz, en otros tiempos la capital de la «Liga gris», en la cual se celebró en 1526 un célebre coloquio religioso, y llamada «primera ciudad renana». Hacia el Sur, la carretera del Lucomagno, que atraviesa el valle de Medel, lleva al cantón del Tesino, al cual confluyen también los valles poblados de árboles de Lugnez y Vals, con sus aldeas tan alegres. Reichenau está situado en la confluencia de los brazos anterior y posterior del Rin, cuyo curso que a partir de Coira va orientado hacia el Norte, servirá más lejos de frontera entre los Grisones y el cantón de San Gall y, luego, entre Suiza y los Estados vecinos de Liechtenstein y de Austria. Entre los grandes valles longitudinales del Rin y del Inn, cañadas y valles laterales surcan del Norte al Sur esta vasta región montañosa; el Schanfigg con sus hermosos bosques, y el Domleschg tan rico en castillos prolongan, a partir de Tiefencastel, el Oberhalbstein que se eleva gradualmente, hasta el puerto del Julier. La carretera de Coira al Julier, practicable también en invierno, fue durante mucho tiempo el único enlace transalpino con la Engadina y, más allá, con Italia. La posición clave de sus puertos alpinos había conferido a los Grisones, ya antes de la época romana, una importancia europea que aumentó todavía cuando fueron abiertos, a principios del siglo, el ferrocarril del Albula –cuyo trazado es una obra maestra– y, en 1967, el túnel rodoviario del San Bernardino. Este segundo enlace del Norte al Sur, practicable todo el año, devolverá a los Grisones su antigua importancia histórica en el dominio de las grandes vías de comunicaciones continentales; sube hasta Thusis a lo largo del Rin posterior, atraviesa, merced a audaces obras artificiales, las paredes abruptas que valieron a la Vía Mala su fama inquietante, alcanza seguidamente el pueblo de Zillis –cuya pequeña iglesia, de apariencia insignificante, contiene un techo artesonado pintado del período románico, que es uno de los más hermosos del mundo– y lleva finalmente, después de haber seguido el valle de Rheinwald y después de haber atravesado el túnel, a la pequeña estación turística de San Bernardino; este nombre revela que ya se ha llegado a la vertiente de lengua italiana, en el valle de Mesocco, cuyo castillo alza hacia el cielo sus poderosas murallas.

Davós y Arosa, antaño reputados como centros de cura de las enfermedades pulmonares, están reconvertidos desde hace tiempo en grandes estaciones alpinas de deporte. Sólo les superan las de la Engadina, este alto valle extraordinario, cuya longitud alcanza casi los cien kilómetros entre el puerto de la Maloya y la frontera austríaca en Martinsbruck, todo entre 1800 y 1000 metros de altitud.

¡Cuántos nombres melodiosos en este valle románico! Savognin, Tinizong, Sur, Bivio, Celerina... El que franquea una vez, en coche o en autocar postal, las «columnas romanas» del puerto del Julier, no olvida ya la pureza del aire ni la luz incomparable que le han acogido al bajar hacia este valle, el más célebre de los Alpes, ejemplo único de civilización refinada en alta montaña, a la cual van unidos numerosos grandes hombres y grandes espíritus. Por los puertos de la Maloya y de la Bernina, se llega a los otros valles grisones de lengua italiana, el valle de Bregaglia, cuna de la célebre familia de artistas Giacometti, y el alegre valle de Poschiavo. Muy lejos de los aristocráticos hoteles de lujo de San Moritz y de Pontresina, la Baja Engadina y sus casas ricamente decoradas de Guarda, de Zuoz, de Scuol, dan un testimonio elocuente del sentido estético de la población. Por el puerto del Fuorn, después de haber atravesado el Parque nacional, se llega –cerca de la frontera italiana– al pueblo de Müstair, que posee frescos verdaderamente admirables en la iglesia de un monasterio benedictino fundado por Carlomagno.

← Auf dem Schienenweg durch
← das Vorderrheintal dem Oberalppass entgegen

Sur la voie ferrée qui mène au col d'Oberalp, à travers la vallée du Rhin antérieur

By rail through the valley of the Vorderrhein to the Oberalp Pass

Por vía férrea, camino del puerto del Oberalp, a través del valle del Rin anterior

Von weither sichtbar: das schlichte Bergkirchlein von Cresta im Averstal

La chapelle de Cresta se dresse comme une sentinelle sur les coteaux de l'Averstal

The simple mountain church of Cresta in the Averstal can be seen far and wide

La sencilla capilla de Cresta destaca desde lejos en el Averstal

Reizvoll in die Landschaft → gebettet: der Zervreilastausee im Valser Tal

Le poétique lac d'accumulation de Zervreila dans le Valser Tal

The Zervreila storage lake nestles in the landscape of the Valser Tal

El embalse de Zervreila, en el Valser Tal, mansamente recostado en el paisaje

← Im Rätikon: die Grenzberge zwischen der Schweiz und Österreich

Les montagnes du Rätikon qui séparent la Suisse de l'Autriche

In the Rätikon: the mountains dividing Switzerland and Austria

Los montes de Rätikon que separan Suiza y Austria

Von vornehm-schmucker Machart: die Engadiner Volkstracht

Distinction et coquetterie caractérisent le costume de l'Engadine

Decorative elegance marks the folk costume of the Engadine

El traje regional de la Engadina es de bello y elegante corte

Typisch am Engadiner Haus: das blumengeschmückte Fenster im Sgraffito-Rahmen

Encorbellement fleuri d'une maison en Engadine

The flower-decorated window is typical of the Engadine

Ventana decorada con flores en una casa de la Engadina

Auf einem Felskegel im Unterengadin: Schloss Tarasp, Zeuge einer bewegten Vergangenheit

Le très ancien Château de Tarasp, dans la Basse-Engadine, monte la garde sur une escarpement rocheux

Tarasp Castle, atop its rock in the Lower Engadine, bears witness to a tumultuous past

Sobre un peñasco, en la Baja Engadina, el castillo de Tarasp, testigo de un agitado passado

Wanderweg im Schweizerischen Nationalpark bei Il Fuorn

Chemin pédestre du Parc national suisse à Il Fuorn

Ramblers' path near Il Fuorn in the Swiss National Park

Camino pedestre en le parque nacional suizo de «Il Fuorn»

Der See von St. Moritz:
frühmorgens in unberührter Einsamkeit

Solitude matinale au
lac de Saint-Moritz

The Lake of St. Moritz: unbroken
solitude early in the morning

Intacta soledad matutina en el lago de
San Moritz

Engadiner «Schlitteda»: paarweise mit
Pferdeschlitten von Dorf zu Dorf

«Schlitteda» engadinaise: des luges
attelées vont de village en village

Engadine «Schlitteda»: horse-drawn
sledges go from village to village

«Schlitteda» engadina:
de pueblo en pueblo, por parejas,
en el trineo de caballos

Ein Wunder der Technik: die Bernina-
bahn von St. Moritz nach Tirano →

Un prodige technique: le chemin de fer
de la Bernina de St-Moritz à Tirano

An engineering miracle: the Bernina
railway from St. Moritz to Tirano

Una maravilla de la técnica: el ferrocarril
de la Bernina, de San Moritz a Tirano

Ein Bergerlebnis: Abendrot
am Piz Canciano im Berninagebiet

Un spectacle impressionnant
en montagne: coucher du soleil
sur le Piz Canciano dans la région
de la Bernina

An impressive spectacle
in the mountains: sunset over the
Piz Canciano in the Bernina area

Un espectáculo impresionante en la
montaña: crepúsculo en Piz Canciano,
en la región del Bernina

Die ehemalige Wallfahrtskirche S. Romerio, in unvergleichlicher Lage über dem Talgrund des Puschlavs

L'ancienne église du pèlerinage de San Romerio domine la vallée de Poschiavo

The former pilgrimage church of S. Romerio, standing in an incomparable position in the valley of Poschiavo

El antiguo centro de peregrinación de S. Romerio, dominando el valle de Poschiavo

Im Oberengadin, an der Malojapassstrasse, der Silsersee →

Le lac de Sils en Haute-Engadine, sur la route de la Maloja

In the Upper Engadine, the Lake of Sils on the Maloja Pass road

El lago de Sils, junto al puerto de Maloya, en la Alta Engadina

← Unverkennbar südlich: Soglio
im italienischsprachigen Bergell

Indéniablement méridional:
Soglio, dans le val Bregaglia

Soglio in the Italian-speaking
Bregaglia is unmistakably southern

Típicamente meridional: Soglio en la
Bregaglia, donde se habla italiano

Auf den Nebenverdienst angewiesen:
Wollspinnerin im Bergell

On continue à filer la laine
dans le val Bregaglia

Woman spinning wool to eke out a
living in the Bregaglia

Las hilaturas de lana son la fuente
adicional de ingresos en la Bregaglia

Bergheuet auf der Alp
ist oftmals mühsame Arbeit

La fenaison sur l'alpage est souvent un
travail pénible

Haymaking in the Alpine pastures is
often hard work

La siega del heno en los Alpes suele ser
una labor penosa

San-Bernardino-Passhöhe: schweigender →
Bergsee am Weg nach Süden

Dans le silence des Alpes,
au col du San Bernardino

A tranquil lake on top of the
San Bernardino Pass

Tranquilo lago alpino en el puerto
de San Bernardino, camino del Sur

Wallis

Ähnlich wie der Urschweiz und Graubünden wurde auch dem Kanton Wallis die Tatsache zum Schicksal, dass zwei der wichtigsten Alpenübergänge auf seinem Hoheitsgebiet liegen: Grosser St. Bernhard und Simplon, dessen Strasse weit über die Passhöhe hinaus auf schweizerischem Boden verläuft. Heute eine der bestausgebauten Nord-Süd-Verbindungen ganz Europas, wurde der Simplonstrasse von Napoleon eine derartige Bedeutung beigemessen, dass er das Wallis im Jahre 1810 aus der Helvetischen Republik löste und kurzerhand dem französischen Kaiserreich einverleibte. Der Pariser Frieden gab dem Gebiet seine Unabhängigkeit zurück, worauf es endgültig der Eidgenossenschaft beitrat. In vorgeschichtlicher Zeit von Kelten bewohnt, wurde das Rhonetal unter römischer Herrschaft ein Teil der Provinz Rätia, gehörte im frühen Mittelalter zum Königreich Burgund und später zum Herzogtum Savoyen. St-Maurice erhielt seinen Namen vom römischen Feldherrn Mauritius, der im vierten Jahrhundert mitsamt der von ihm befehligten Thebäischen Legion zum Christentum übertrat und den Märtyrertod erlitt – eine von der bildenden Kunst des Mittelalters oft dargestellte Legende. Wie Graubünden in Jürg Jenatsch einen ehrgeizigen Staatsmann hervorgebracht hat, so das Wallis in Kardinal Schiner einen Kirchenfürsten grossen Formats. Wer heute den fürstlichen Stockalperpalast in Brig besucht, möge sich seines Erbauers, des bedeutendsten Walliser Patriziers des siebzehnten Jahrhunderts, Gaspard-Jodoc Stockalper, erinnern, eines «uomo universale» und kraftvollen Unternehmers des Barockzeitalters, der die europäische Schlüsselstellung des Simplonpasses meisterhaft für seine Zwecke auszunützen verstand.

Wie sein lateinischer Name Vallis Poenina besagt, stellt dieser südwestliche Kanton Helvetiens eine Flusslandschaft dar, deren Sohle sich mächtig verbreitert und schliesslich, zwischen der Landesgrenze mit Frankreich und der Kantonsgrenze zur Waadt, an der Rhonemündung in das schilfige Ufer des Genfersees ausläuft. Das Unterwallis gehört wie ein Teil des Kantons Freiburg und des Berner Jura zur Französischsprachigen Schweiz; aber der ungeheure Spannungsbereich seiner Höhenunterschiede – vom Genferseespiegel mit 375 bis zur Dufourspitze am Monte Rosa mit 4638 Metern über Meer – umschliesst alle geologischen und botanischen Formen der Alpenwelt. Die fruchtbare Ebene von Siders gilt als regenärmste Region der Schweiz; dennoch ist das Wallis bekannt für seine hervorragende Wassernutzung. Die mit halsbrecherischer Kühnheit entlang steilen Felswänden erbauten Bewässerungskanäle und die Stauseen (Mattmark, Mauvoisin, Grande Dixance) liefern gewaltige Mengen elektrischen Stroms, der der Industrie des Rhonetals zugute kommt. Sinnbild und Schicksal des gesegneten Landes bleibt die vom Waadtländer Dichter C. F. Ramuz besungene Rhone. Als einer der grossen Ströme des Kontinents, der weitgehend das Antlitz Südwestfrankreichs prägt, entspringt die Rhone – eindrucksvolles Schauspiel – unmittelbar aus dem gleichnamigen Gletscher, der den Kanton im Nordosten gegen Uri abgrenzt. Dort, im Oberwallis, auch Goms geheissen, wird schon wieder deutsch gesprochen, eine singende, hüpfende Mundart, die den schweizerischen Gebirgsgegenden eigen ist. Da oben noch eng und karg, von schroffen Felswänden und Geröllhalden flankiert, streckt sich das Rhonetal nach der weiten, freundlichen Ebene hinunter, die mit ihrem milden Klima dem Wallis seinen einzigartigen Reiz verleiht. Das einzige nach Süden offene Seitental führt nach Binn, einem Walliser Dorf mit bemerkenswerter Kirche und dunkeln Holzhäusern. Von Brig an abwärts beginnt dann die Reihe berühmter Talschaften, die tief in die Walliser Alpen, nahe an die italienische Grenze führen, wo, meist auf besonntem Wiesengrund, die Höhenkurorte Saas Fee, Zermatt, Zinal, das malerische Evolène und das einsame Arolla, näher der Rhone Verbier, Champex, Champéry und Morgins ausgebreitet liegen, die alle mit Bahn oder Alpenpost erreichbar sind.

Urwüchsiges Gegenstück zum Val d'Hérens bildet auf deutschsprachigem Gebiet das Lötschental mit seinem farbigen Brauchtum. Auf sonnenreichen Hochplateaus über dem rechten Ufer der Rhone werben Montana-Crans und Villars um die Gunst eines internationalen Publikums. Ein grosser Reichtum des Rhonetals bildet der Wein. Bis auf 1200 Meter Höhe gedeiht hier der Rebstock, den die Römer einst in die Gegend ihrer Siedlung Octodurum gebracht hatten. Das von einer Burgruine überragte Städtchen Martigny, dessen platanengeschmückte Strassen und Plätze, wie diejenigen von Siders, ganz französisches Gepräge aufweisen, war einst Bischofssitz und ist heute ein wichtiger Unterwalliser Verkehrsknotenpunkt. Wundervoll grüsst an der grossen Landstrasse durch das Obstparadies von Saxon die romanische Kirche St-Pierre-de-Clages, während die alten Bürgerhäuser der Kantonshauptstadt Sitten sich zwischen den steilen Hügeln Tourbillon und Valère zu einem reizvollen Weichbild zusammendrängen. Es ist die Landschaft, die Rilke besang, der die letzten Jahre seines ruhelosen Dichterlebens im Schlösschen Muzot bei Siders verbrachte und in Raron begraben liegt – Namen, die längst zum allgemeinen Bildungsgut zählen. Diese sanften Hänge mit verträumten Kirchen auf grünen Bergkuppen bilden eine poetische Landschaft am schäumenden Strom, deren Bewohner sich eine heitere Weisheit, eine leichtere Lebensweise schufen, als man sie sonst in der Schweiz anzutreffen pflegt.

Le Valais

Des circonstances analogues à celles de la Suisse primitive et des Grisons ont déterminé le destin du Valais. Deux grandes voies alpines de communications passent sur son territoire: la route du Grand-Saint-Bernard et celle du Simplon, qui se prolonge du côté suisse longtemps après avoir franchi le col. Le Simplon constitue aujourd'hui une des meilleures liaisons entre le sud et le nord de l'Europe. Son importance était si grande aux yeux de Napoléon, qu'il n'hésita pas, en 1810, à faire du Valais un département français, plutôt que de le rattacher à la République helvétique. Le Traité de paix de Paris lui ayant rendu son indépendance, le Valais adhéra définitivement à la Confédération. Peuplé par les Celtes aux temps préhistoriques, il fit partie de la province rhétique sous la domination de Rome, puis passa au Moyen Age sous la souveraineté des rois de Bourgogne et plus tard sous celle des ducs de Savoie. Saint-Maurice tient son nom du chef romain qui, au IVe siècle, subit le martyre pour avoir embrassé la foi chrétienne, avec la légion thébaine qu'il commandait. De même que l'histoire des Grisons est dominée par Jürg Jenatsch, celle du Valais compte une personnalité d'envergure européenne: le cardinal Schiner, prince de l'Eglise et grand homme d'Etat. Celui qui visite de nos jours le grandiose Palais de Stockalper, à Brigue, aura l'occasion de méditer l'extraordinaire destin de celui qui le fit construire, Gaspard-Jodoc Stockalper, cet «homo universalis» dont l'esprit d'entreprise ne connaissait pas de limites et qui sut si magistralement exploiter à ses fins la position, si importante pour l'Europe, du col du Simplon.

Comme l'indique son nom latin de «vallis poenina», ce canton situé au sud-ouest de la Suisse est en effet une unique vallée, qui s'élargit en son milieu pour se rétrécir de nouveau entre les frontières de la France et du canton de Vaud, avant de prendre fin dans la région marécageuse où le Rhône va se perdre dans le lac Léman. Le Bas-Valais se rattache à la Suisse romande. L'énorme différence d'altitude qui caractérise ce canton, entre le niveau du Léman à 375 mètres et le sommet du Mont-Rose à 4638 mètres, a pour conséquence qu'on y retrouve toutes les formes géologiques et botaniques du monde alpin. La plaine très fertile du Valais central, près de Sierre, est la région la moins pluvieuse de Suisse. Ce climat sec explique le prix qu'on y attache à l'eau; des canaux d'irrigation, qu'on nomme les bisses, ont été creusés à travers les roches, au-dessus d'abrupts précipices; les lacs d'accumulation de Mattmark, de Mauvoisin, de la Grande-Dixence, assurent une prodigieuse production de courant électrique, qui à son tour donne naissance dans la plaine à d'importantes industries. Le Rhône, qu'a célébré l'écrivain vaudois C.-F. Ramuz, est ainsi le symbole de ce pays fécond dont il a marqué le destin; grande artère fluviale qui contribue à modeler le visage des provinces françaises qu'il traverse, il prend sa source de manière spectaculaire au pied du glacier qui porte son nom, non loin de la frontière uranaise. Le lit du haut Rhône forme la vallée de Conches, où l'on parle un dialecte alémanique curieusement cadencé, propre à certaines régions montagneuses. Etroite et aride d'abord, la vallée ne tarde pas à s'élargir et à s'épanouir grâce à la clémence du climat. La seule vallée qui s'ouvre vers le sud est celle de Binn, village typique avec sa belle église et ses chalets de bois de couleur très foncée. En aval à partir de Brigue commence la série des célèbres vallées latérales qui sillonnent le massif alpin jusqu'à la frontière italienne et où, sur les alpages ensoleillés, s'étagent les stations touristiques de haute montagne, Saas Fee, Zermatt, Zinal, puis successivement le pittoresque village d'Evolène, Arolla dans sa grandiose solitude et, plus près de la vallée du Rhône, Verbier, Champex, Champéry et Morgins. Tous ces sites très divers sont accessibles par chemin de fer ou par car postal.

Le val d'Hérens, sur le versant gauche de la vallée du Rhône, a pour pendant, sur le versant nord, dans la partie alémanique du canton, la singulière vallée du Lötschental, fidèle à ses anciennes coutumes. Sur le même versant, le vaste belvédère baigné de soleil de Montana-Crans connaît la faveur du public international. On ne saurait omettre enfin de mentionner une ressource non moins importante de cette grande vallée: la vigne qui y fut importée jadis par les Romains et qui y fleurit jusqu'à l'altitude de 1200 mètres. La colonie romaine d'Octodurum est aujourd'hui la petite ville de Martigny, allongée dans la pleine au pied de la haute tour d'une forteresse en ruine, et qui, comme Sierre, affirme son caractère romand; jadis siège d'un évêché, elle est restée le grand carrefour routier du Bas-Valais. Près de Saxon, à travers le luxuriant verger de la plaine, se dresse l'église de Saint-Pierre-de-Clages, joyau de l'art roman, tandis qu'en amont les maisons patriciennes de Sion, la capitale valaisanne, appuyées aux collines escarpées de Valère et de Tourbillon, composent un tableau d'une incomparable beauté. Tel est le pays auquel s'est attaché Rilke, qui a passé les dernières années de sa vie errante de poète au Château de Muzot près de Sierre et qui repose de son dernier sommeil au pied de la vieille église de Rarogne. Ces églises altières, clairsemées sur de verts coteaux au pied des cimes étincelantes, composent, au-dessus du fleuve impétueux, un paysage empreint de poésie qui communique au peuple qui l'habite une sagesse sereine et un art de vivre qu'on ne trouve plus guère ailleurs.

The Valais

As in the case of Central Switzerland and the Grisons, the fact that two of the most important Alpine passes run through its territory has been a crucial factor in shaping the destiny of the Valais. These are the Great St. Bernard and the Simplon, the route of the latter continuing on Swiss territory long after the summit of the pass has been reached. The Simplon route is one of the best developed links between north and south in Europe today, and Napoleon attached such importance to it that in 1810 he detached the Valais from the Helvetic Republic and simply incorporated it with the French Empire. The region recovered its independence at the Peace of Paris and finally became part of the Swiss Confederation. Peopled by Celts in prehistory, the Rhone valley became part of the province of Raetia under Roman rule, belonged in the Middle Ages to the Kingdom of Burgundy, and later to the Duchy of Savoy. St-Maurice took its name from the Roman general Mauritius, who together with the Theban legion he commanded, was coverted to Christianity and died a martyr's death—a legend often depicted in the art of the Middle Ages. Just as the Grisons found an ambitious statesman in Jürg Jenatsch, so the Valais produced an ecclesiastic of the highest calibre in Cardinal Schiner. Visitors to the princely Stockalper Palace in Brigue will be reminded of Gaspard-Jodoc Stockalper, one of the most important Valais patricians of the 17th century, an "uomo universale" of ambition and enterprise who flourished during the age of Baroque and showed masterly skill in exploiting the key position of the Simplon Pass in Europe for his own ends. As its Latin name Vallis Poenina suggests, this south-western canton of Switzerland occupies a river basin, the bottom of which broadens out into a wide plain and finally, on the national frontier with France and the cantonal boundary with the Vaud, debouches amidst the reeds of the Rhone mouth into the Lake of Geneva. Like part of the Bernese Jura and the canton of Fribourg, the Lower Valais belongs to French-speaking Switzerland. It ranges vastly in altitude from some 1200 feet at the Lake of Geneva to more than 15 000 feet at the Dufourspitze of Monte Rosa and thus embraces all the geological and botanical forms of the Alpine world. The fertile plain of Sierre is said to have the smallest rainfall in Switzerland, and yet the Valais is noted for the way it exploits its water supplies. Irrigation channels have been built with great skill and daring along rocky cliffs and its storage lakes (Mattmark, Mauvoisin, Grande-Dixence) help to generate megawatts of electric power for the considerable industry of the Rhone valley. Emblem of the Valais, and the arbiter of its destiny, the Rhone has been extolled by the Vaudois poet, C.F. Ramuz. It is one of the great rivers of Europe and has largely shaped the topography of Southern France. It issues forth—an impressive scene—from the glacier of the same name which bounds the canton to the north-east towards Uri. There in the Upper Valais, also known as "Goms", German is again the language spoken, a singing, lilting dialect peculiar to the mountain regions of Switzerland. From these upper regions the Rhone valley stretches, narrow and crabbed, flanked by precipitous rock walls and scree slopes, down to the broad and more hospitable plain which, conspiring with the mild climate, creates the peculiar charm of the Valais. The only lateral valley leads to Binn, a Valais village with a remarkable church and dark timber houses. After Brigue begins the series of famous valleys which thrust deep into the Valais Alps almost as far as the Italian frontier.

Here, usually among sun-blest meadows, are to be found the mountain resorts Saas Fee, Zermatt, Zinal, picturesque Evolène, and lonely Arolla, and nearer to the Rhone, Verbier, Champex, Champéry and Morgins, all within easy reach by rail or postal motor coach.

The Val d'Hérens finds a bluff and vigorous counterpart in the Lötschental, a valley in the German-speaking region of the Valais, where many colourful customs are preserved. On high sunny plateaus above the right bank of the Rhone, Montana-Crans and Villars compete for the favour of an international public. Wine constitutes the wealth of the Rhone valley. Here the vine, introduced by the Romans round their settlement at Octodurum, thrives up to a height of 4000 feet. A ruined fortress dominates the erstwhile bishop's see of Martigny, a Lower Valais traffic junction where, as in Sierre, the plane trees in the streets and squares give the town a distinctly French air, The Romanesque church of St-Pierre-de-Clages keeps watch over the road through the fruit-growing paradise of Saxon, while the old burgher houses of the cantonal capital of Sion jostle together between the steep hills of Tourbillon and Valère and overspill to form an enchanting rural city. This is the landscape of which Rilke sang when he spent the final years of his restless life in the little Castle of Muzot near Sierre before his death and burial at Raron. It is a gentle countryside with dream-rapt churches atop rounded green hills where the inhabitants have developed an unclouded wisdom and take life more easily than most of their compatriots.

El cantón del Valais

Circunstancias análogas a las de la Suiza primitiva y de los Grisones determinaron el destino del cantón del Valais. Dos grandes vías de comunicaciones pasan por su territorio: la carretera del Gran San Bernardo y la del Simplón que, del lado suizo, se prolonga todavía mucho, después de haber franqueado el puerto. El Simplón constituye en la actualidad uno de los mejores enlaces entre el Sur y el Norte de Europa. Su importancia era tan grande a los ojos de Napoleón, que no dudó, en 1810, en hacer del Valais un departamento francés, en lugar de unirlo a la República Helvética. Cuando el tratado de París le devolvió su independencia, el Valais adhirió definitivamente a la Confederación. Poblado por los celtas en los tiempos prehistóricos, formó parte de la provincia rética bajo el dominio de Roma, para ser puesto, en la edad media, bajo la soberanía de los reyes de Borgoña y, más tarde, la de los duques de Saboya. Saint-Maurice tiene su nombre de un jefe romano que, en el siglo cuarto, sufrió el martirio por haberse convertido a la fe cristiana, con la legión tebana que mandaba. Lo mismo que la historia de los Grisones está dominada por Jürg Jenatsch, la del Valais cuenta con una personalidad de envergadura: el cardenal Schiner, principe de la Iglesia y preclaro hombre de Estado. El que hoy en día visita el grandioso palacio de Stockalper, en Briga, meditará el extraordinario destino del que lo hizo construir, Gaspar Jodoco de Stockalper, ese «homo universalis», cuyo espíritu de empresa no conocía límites y que supo explotar magistralmente, a sus fines, la posición, tan importante para Europa, del puerto del Simplón.
Como lo indica su nombre latino de «Vallis poenina», este cantón situado en el Suroeste de Suiza es, en efecto, un único valle, que se ensancha en su centro, para estrecharse de nuevo entre las fronteras de Francia y del cantón de Vaud, antes de acabar en la región pantanosa donde el Ródano se pierde en el lago de Ginebra. El Valais inferior pertenece a Romandía, la Suiza de habla francesa. La enorme diferencia de altitud que caracteriza este cantón, entre el nivel del lago Lemán –a 375 metros sobre el nivel del mar– y la cima del Monte Rosa, a 4638 metros, tiene por consecuencia que se encuentran en él todas las formas geológicas y botánicas del mundo alpino. La llanura muy fértil del Valais central, cerca de Sierre, es la región menos lluviosa de Suiza. Este clima seco explica el precio que allí se atribuye al agua; canales de irrigación –conocidos por el nombre de «bisses»– fueron excavados a través de las rocas, en lo alto de abruptos precipicios; los lagos de acumulación de Mattmark, de Mauvoisin, de la Grande-Dixence, aseguran una prodigiosa producción de energía eléctrica que, a su vez, da vida –en el llano– a importantes industrias. El Ródano, cantado por C. F. Ramuz, escritor del cantón de Vaud, es así el símbolo de este país fecundo del que marcó el destino;

gran arteria fluvial que contribuye a modelar la faz de las provincias francesas que atraviesa, nace de manera espectacular al pie del glaciar que lleva su nombre, no lejos de la frontera con el cantón de Uri. El lecho del Ródano superior forma el valle de Conches, donde se habla un dialecto alemánico curiosamente cadencioso, propio de ciertas regiones montañosas. Estrecho y árido en sus comienzos, el valle no tarda en ensancharse y despejarse gracias a la clemencia del clima. El único valle que se abre hacia el Sur, es el de Binn, pueblo típico con su hermosa iglesia y sus chalets de madera, de color muy obscuro. Río abajo, a partir de Briga, comienza la serie de los valles laterales tan célebres que surcan el macizo alpino hasta la frontera italiana y en los cuales, en los pastos soleados, se sobreponen las estaciones turísticas de alta montaña, de Saas Fee, Zermatt, Zinal y sucesivamente, el pintoresco pueblo de Evolène, Arolla en su grandiosa soledad y, ya más cerca del valle del Ródano, Verbier, Champex, Champéry y Morgins. Todos estos lugares tan sumamente diversos, son accesibles por ferrocarril o por autocares postales.

El valle de Hérens, en la vertiente izquierda del valle del Ródano, tiene su parecido en la vertiente Norte, en la parte alemánica del cantón, es decir el singular valle del Lötschental, fiel a sus costumbres antiguas. En esta misma vertiente, el vasto belvedere soleado de Montana-Crans conoce los favores del público internacional. Finalmente, no podemos dejar de mencionar uno de los recursos más importantes de este gran valle: la viña, que fue importada en sus tiempos por los romanos y que florece allí hasta la altitud de 1200 metros. La colonia romana de Octodurum es hoy la pequeñá ciudad de Martigny, estirada en el llano al pie de la alta torre de una fortaleza en ruinas y que, lo mismo que Sierre, afirma su carácter y su pertenencia a Romandía. En otros tiempos fue sede de un obispado; sigue siendo la gran encrucijada de carreteras del Valais inferior. Cerca de Saxon, a través del lujuriante vergel de la llanura, se yergue la iglesia de Saint-Pierre-de-Clages, presea del arte románico, mientras que río arriba, en Sion, la capital del cantón del Valais, las casas patricias, apoyadas en los cerros escarpados de Valère y de Tourbillon, componen un cuadro de belleza incomparable. Tal es el país del cual se prendó Rilke, quien pasó los últimos años de su vida errante de poeta, en el castillo de Muzot cerca de Sierre y que reposa ahora al pie de la vieja iglesia de Rarogne. Estas iglesias altivas, esparcidas por los verdes viñedos al pie de cimas centelleantes, componen –dominando el río impetuoso– un paisaje lleno de poesía, que comunica al pueblo que lo habita, una cordura serena y un arte de vivir que difícilmente puede encontrarse en otras partes.

Die Furka-Oberalp-Bahn
auf der steilen Bergrampe
in der Schöllenenschlucht

Le chemin de fer
Furka-Oberalp sur les
pentes abruptes de la gorge
de Schöllenen

The Furka-Oberalp railway
on the steep slopes
of the Schöllenenschlucht

El ferrocarril
del Furka-Oberalp, en las
pendientes abruptas del
desfiladero de Schöllenen

Der Nufenenpass verbindet →
das Oberwallis mit dem
Bedrettotal im Kanton Tessin

Le col de Nufenen relie
le Haut-Valais au val
Bedretto dans le Tessin

The Nufenen Pass links
the Upper Valais with the
Bedretto Valley in the
Canton of Ticino

El puerto de Nufenen une
el Alto Valais y el
valle de Bedretto en el
Tesino

← Das Naturreservat des Aletschgebiets mit dem Wannenhorn

La réserve naturelle d'Aletsch avec le Wannenhorn

The nature reserve of the Aletsch with the Wannenhorn

La reserva natural de Aletsch, con el Wannenhorn

Von der Lötschbergrampe der eindrucksvolle Blick über das Rhonetal

Vue plongeante sur la vallée du Rhône depuis la rampe du Lötschberg

View of the Rhone Valley from the southern approaches to the Lötschberg

Vista del valle del Ródano desde la rampa del Lötschberg

Von der italienischen Architektur angeregt: der Stockalperpalast in Brig

Un bel exemple d'architecture italienne: le Palais Stockalper à Brigue

The Stockalper Palace at Brig, inspired by Italian architecture

El palacio de Stockalper en Briga, de inspiración italiana

Zur Fastnachtszeit leben uralte Riten und Bräuche auf: ausgelassenes Treiben von wilden Maskengestalten in den verschneiten Dörfern des Lötschentals

Des masques rappelant des traditions immémoriales animent le carnaval dans les villages enneigés du Lötschental

At Shrovetide Carnival old rites and customs are revived when masked figures run wild through the snow-covered villages of the Lötschental

Los días de Carnaval reviven antiquísimas tradiciones: enmascarados animan las nevadas aldeas del Lötschental con sus feroces disfraces

Das Matterhorn im Blickfeld: mit der → Gornergratbahn auf 3136 m Höhe

Le chemin de fer du Gornergrat au pied du Cervin, à 3136 m d'altitude

View of the Matterhorn: with the Gornergrat Railway at 10,286 ft.

El ferrocarril de Gornergrat, a 3136 m de altitud, con el Cervino al fondo

Ein Naturgemälde: Walliser Herbstlandschaft bei Leuk, im Rhonetal

Paysage automnal près de Loèche dans la vallée du Rhône

Autumn glories of the Valais landscape at Leuk, in the Rhone Valley

Cuadro al natural: Paisaje otoñal en el valle del Ródano

Ein Walliser Volksbrauch: Trommler und Pfeifer in den Rebbergen ob Siders

Une tradition valaisanne: tambours et fifres dans le vignoble de Sierre

A Valaisan custom: drummers and pipers in the vineyards above Sierre

Costumbre popular del Valais: pífanos y tambores en los viñedos

Weinlese im sonnigen Rebgelände von Salgesch bei Siders →

Vendanges dans les vignobles de Salquenen, près de Sierre

Grape-picking in the vineyards of Salgesch near Sierre

Vendimia en los viñedos soleados de Salquenen, cerca de Sierre

Das Postauto ist ein wichtiges Transportmittel in die Seitentäler

Le car postal est un moyen de transport important pour les villages de montagne

The post-bus is an important means of public transport to the side valleys and mountain villages

El autocar postal es un medio importante de transporte para los pueblos de montaña

Die Theodulkirche, mit der Kathedrale geistlicher Mittelpunkt Sittens

Devant le portail gothique de l'église Saint-Théodule à Sion

Sion: worshippers entering St. Theodul's through the Gothic entrance

Sion: Fachada gótica de la iglesia de San Teodulo

Auf steilem Felsenriff über Sitten: die Burgkirche Valeria

Sur une colline abrupte au-dessus de Sion: l'église fortifiée de Valère

The castle church of Valeria high on a rocky eminence above Sion

Sobre un promontorio rocoso, la iglesia-fortaleza de Valeria, en Sion

Der Trans-Europ-Express durcheilt
die Obstgärten des Unterwallis

Le Trans-Europ-Express traverse la
plaine arborisée du Bas-Valais

The Trans-Europe Express races through
the orchards of the Lower Valais

El Exprés Transeuropeo, atraviesa los
frutales del Bajo Valais

Bei Sitten. Im traditionellen Kuhkampf wird die Königin erkoren

Pâturage près de Sion avant un «combat de reines»

Near Sion. The herd queen is chosen in traditional cow fights

Sion: en la lucha tradicional entre vacas, se designa la reina

Weiträumiges Rhonetal! Im Frühnebel – die Burghügel von Sitten

Les collines de Sion émergeant de la brume matinale de la vallée du Rhône

The spacious Rhone Valley. The castle hill of Sion looms through the mist

Las colinas fortificadas de Sion emergen, entre la bruma, del amplio valle

← Walliser Häuser auf schmaler Geländerippe: Pinsec im Val d'Anniviers

Chalets valaisans accrochés aux pentes de Pinsec dans le val d'Anniviers

Valais houses on a narrow ridge: Pinsec in the Val d'Anniviers

Casas del Valais asidas a una delgada cresta: Pinsec, en el Val d'Anniviers

Das ganze Dorf nimmt Anteil: Hochzeit in Evolène im Val d'Hérens

Cortège nuptial dans la grand-rue d'Evolène, au val d'Hérens

Wedding at Evolène in the Val d'Hérens with all the village joining in

Todo el pueblo participa: cortejo nupcial en Evolène, en el Val de Hérens

Mit der Alpenpost in das hochgelegene Val d'Anniviers

En car postal sur la route accidentée du val d'Anniviers

Up to lofty Val d'Anniviers with the alpine post

En el autocar postal por las empinadas rutas del Val d'Anniviers

Strassenverbindung durch das Val d'Anniviers mit dem Zinalrothorn

La route traversant le Val d'Anniviers avec le Zinalrothorn

Road through the Val d'Anniviers with the Zinalrothorn

La carretera que atraviesa el Val de Anniviers, con el Zinalrothorn

Die Bergbauern
auf den Alpen leben in
bescheidenen Behausungen

Dans les montagnes,
les paysans habitent
des demeures modestes

The farmers
on the mountains live in
modest houses

En la montaña,
los campesinos habitan
en casas modestas

Fels, Geröll und karge Weide
im Zinaltal

Rochers, éboulis
et maigres pâturages
dans la vallée de Zinal

Rock, scree
and sparse meadow in the
Zinaltal

Peñas, desprendimientos
y míseros pastos
en el valle de Zinal

Der gewaltige Stausee
der Grande-Dixence

Le lac d'accumulation
de la Grande-Dixence

The great storage lake
of the Grande-Dixence

El lago de embalse
de la Gran Dixence

Tessin

Mit Ausnahme des Alpenwalls am Gotthard, Lukmanier und San Bernardino wird der Kanton Tessin von Italien völlig umschlossen. Auch Graubünden besitzt nach Süden offene Täler italienischer Zunge; im Tessiner Walserdorf Bosco-Gurin wiederum wird deutsch gesprochen, und in Ascona am Langensee halten sich die lateinische und germanische Bevölkerung die Waage. Denn dieser gesegnete Südkanton, mit der übrigen Schweiz durch die Gotthardbahn und durch den Strassentunnel des San Bernardino ganzjährig verbunden, bildete immer das lockende Ziel, die mildeste Ferien- und Erholungslandschaft Helvetiens. Ein Haus im Tessin zu besitzen ist der Wunschtraum fast jedes wohlhabenden Schweizers; er wurde seit dem Kriege allerdings auch von zahlreichen Prominenten der internationalen Film-, Verlags- und Kunstwelt auf oft sehr augenfällige Weise verwirklicht.

Was das Tessin besonders liebenswert macht, ist vor allem seine Lage südlich der Alpen, sein Hinunterreichen in die Lombardei, kurz: die mittelländische Lebensluft, die den Fremden dort unten so schmeichlerisch umfängt. Landschaftlich freilich hat das Gebiet fast nichts mit Norditalien gemeinsam; das Tessin konnte deshalb so sehr ein Teil der Eidgenossenschaft werden, weil es, topographisch gesehen, ganz der Alpenwelt zugehört – ausser dem Schwemmland des Ticino bei Magadino weist es keine grösseren Ebenen, kaum einen weitreichenden Horizont auf. Das Italienisch-Weiche, Abgerundete steht stets im Gegensatz zu den steilen Hängen, schroffen Felsen und hohen Bergen, die seine Seen und Täler umgeben. Die romanischen Glockentürme, die barocken Kirchen und Paläste stehen oft auf steilen bergumkränzten Anhöhen. Es ist nicht die erhabenste, nicht die lieblichste Szenerie des hübschen Ferienlandes im Herzen Europas; aber es ist die abwechslungsreichste, farbenprächtigste Gegend der Schweiz. Wie Basel liegen Lugano und Locarno auf bloss zweihundert Metern über Meer, die mittlere Jahrestemperatur beträgt in Bellinzona volle zwölf Grad Celsius.

Räter und Lepontiner besiedelten die Täler des Ticino, der Moesa, Maggia und Verzasca in vorgeschichtlichen Tagen. Zur Römerzeit gehörten sie zur Gallia cisalpina, teilten während der Völkerwanderung das Schicksal der Lombardei, gerieten mit dieser unter die Herrschaft deutscher Könige, wurden sodann dem Herzogtum Mailand einverleibt, aus dessen Fehden mit den Eidgenossen im Jahre 1516 die Ennetbirgischen Vogteien entstanden, wovon die Trutzburgen Uri, Schwyz und Unterwalden von Bellinzona heute noch ein beredtes Zeugnis ablegen und die erst durch die Schaffung der Helvetischen Republik 1798 aufgehoben wurden. Durch den Ausbau der Gotthardstrasse für den Postkutschenverkehr im neunzehnten Jahrhundert und die Gotthardbahn als wichtigste

Nord-Süd-Verbindung des Kontinents wuchs die Bedeutung des Tessins in kurzer Zeit zu voller wirtschaftlicher Entfaltung. Ähnlich wie Davos übte Ascona seit Jahren eine besondere Anziehungskraft auf deutsche Künstler aus. Hermann Hesse, Emil Ludwig, Hans Arp liessen sich im Tessin nieder, Eugène d'Albert, Alexander Moissi fanden auf dem romantisch gelegenen Friedhof von Morcote ihre letzte Ruhestätte.

Die Tessiner selbst waren von jeher ein kunstbegabtes Volk. Viele grosse Namen, wie die der Malerfamilie Serodine aus Ascona, wirkten weit über die heutigen Landesgrenzen hinaus nach Italien. Mancher Sakralbau des Tessins, wie die Kirchen von Maggia, Brione, Lugano, enthält kostbare Fresken; im Malcantone steht ein Baptisterium aus dem sechsten Jahrhundert und eine edle Kapelle von der Hand des grossen Barockbaumeisters Maderna. Zauberhafte Parkanlagen mit südlichem Pflanzenwuchs, üppigem Blumenschmuck, Zypressen und Palmen zieren die Ufer des Langen- und Luganersees; Cafés im Freien, auf Terrassen, auf offener Piazza verleihen den Kurorten des Tessins einen Duft von Riviera und Dolcefarniente, wie die gewerbefleissige Schweiz ihn sonst nirgends verströmt. Weisse Dampfer stechen buntbewimpelt in die blauen Fluten der Seen, Bergbahnen klimmen auf die berühmten Aussichtspunkte des Monte San Salvatore und Monte Generoso. Das sommerliche Getriebe in Ascona, Lugano und Locarno ist von hinreissendem Leben erfüllt. Die Buntheit kosmopolitischen Fremdenstroms erhöht sich durch den Zauber italienischer Eleganz, wie er sich in diesem patrizischen Kanton auf berückende Weise erhalten hat.

Wer jedoch die Stille sucht, wird das Tessin eher im Herbst aufsuchen, wenn die Luft noch klarer, die Farben satter, die Sehenswürdigkeiten weniger belagert sind.

In den Seitentälern verlaufen die Strässchen oft etwas halsbrecherisch; um so beglückender sind Wanderungen zu den verborgenen Schönheiten dieser eigenartigen Welt, die so sehr schon dem Süden, gleichzeitig jedoch noch den Alpen verhaftet ist. Dort, auf abseitigen Pfaden, an einem raunenden Dorfbrunnen, vor einer Andacht weckenden Kapelle, im Gespräch mit den urwüchsigen Bewohnern unter schattenspendender Pergola beim Nostrano, dem schweren einheimischen Wein, der noch aus irdenen Schalen getrunken wird wie in etruskischen Tagen – dort wird dem Fremden die Seele des Tessins in ihrer gläubigen Gelassenheit, ihrer herzlichen Heiterkeit am reinsten offenbart werden.

Le Tessin

Relié au nord de la Suisse, à travers la muraille des Alpes, par le Gothard, le Lukmanier et le San Bernardino, le canton du Tessin, comme les deux vallées méridionales des Grisons, s'ouvre ailleurs de toutes parts sur l'Italie. Il existe au Tessin un ancien village de Walser (immigrants valaisans de jadis), Bosco-Gurin, où l'on parle allemand; notons aussi la forte immigration allemande qui fait d'Ascona une localité bilingue. Ce canton méridional, relié aux autres toute l'année par le chemin de fer du Gothard et par le tunnel routier du San Bernardino, est par excellence un pays de vacances et de loisirs qui ne cesse d'attirer les touristes du nord. Y posséder une maison est le rêve de beaucoup de Confédérés; rêve qu'ont réalisé aussi depuis la guerre, et souvent assez tapageusement, nombre de cinéastes, d'écrivains et d'artistes de classe internationale.

L'exposition sur le versant sud des Alpes, l'accès facile à la Lombardie, en un mot l'ambiance déjà méditerranéenne, confèrent au Tessin son attrait particulier. Certes, le Tessin se distingue nettement du nord de l'Italie par le paysage. Cela explique sans doute pourquoi il lui fut aisé de se rattacher à la Suisse; sa topographie le relie au monde alpin; si l'on excepte la plaine d'alluvions de Magadino, tout n'y est que hautes montagnes et vallées étroites. La douceur et la facilité italiennes forment ici un contraste avec les pentes escarpées, les rochers à pic et les sommets qui entourent lacs et vallons. Les clochers romans, les églises et les palais baroques, sont le plus souvent accrochés au flanc de montagnes abruptes. Mais si le paysage tessinois n'est ni le plus grandiose ni le plus riant, il est incontestablement le plus varié et le plus coloré de Suisse. De même que Bâle, Lugano et Locarno sont situées à 200 mètres au-dessus du niveau de la mer; la température annuelle moyenne atteint à Bellinzone 12 degrés Celsius.

Les Rhètes et les Lépontiens, ces derniers d'origine ligure, peuplèrent aux époques préhistoriques les vallées tessinoises, notamment le val Maggia et le val Verzasca, qui, après avoir été, à l'époque romaine, incorporées à la Gaule cisalpine, partagèrent le sort de la Lombardie au temps des grandes migrations, et passèrent comme elle sous la souveraineté de monarques allemands. Elles furent ensuite rattachées au duché de Milan, dont les démêlés avec les Confédérés furent en 1516 à l'origine des baillages, que rappellent aujourd'hui encore les trois citadelles (Uri, Schwyz, Unterwald) qui dominent Bellinzone. Les baillages furent abolis par la République helvétique en 1798. La construction de la route du Gothard, ouverte au trafic postal au cours du siècle dernier, puis celle du chemin de fer, qui firent de cette voie de communication la plus importante de celles qui relient le nord au sud de l'Europe, contribuèrent à l'essor économique du Tessin. De même que Davos, Ascona exerce une attraction particulière sur les artistes allemands. Hermann Hesse, Emil Ludwig, Hans Arp, se fixèrent au Tessin. Eugène d'Albert, Alexandre Moissi y reposent dans le cimetière romantique de Morcote.

Mais les Tessinois sont eux-mêmes un peuple doué pour les arts. Des dynasties d'artistes, comme celle des Serodine d'Ascona, ont rayonné à travers l'Italie. De nombreuses églises du Tessin, notamment celles de Maggia, de Brione et de Lugano, contiennent de précieuses fresques; on trouve dans le Malcantone un baptistère du VIe siècle et une chapelle construite par le grand architecte Maderna. Des parcs enchanteurs, où à l'ombre des palmiers et des cyprès pousse une végétation exubérante, ornent les rives du lac Majeur et du lac de Lugano. Dans les endroits de villégiature tessinois, les cafés et leurs terrasses qui débordent sur la voie publique évoquent la Riviera et le dolce farniente (atmosphère bien rare en Suisse). Les bateaux blancs décorés de banderoles multicolores fendent les eaux bleues des lacs; des funiculaires conduisent aux célèbres belvédères du Monte Generoso et du San Salvatore. Ascona, Lugano, Locarno, sont en été extraordinairement animés. A l'afflux pittoresque des hôtes de tous pays viennent s'ajouter çà et là le charme et l'élégance naturelle de la population tessinoise.

Mais celui qui aspire au calme donnera la préférence au séjour d'automne lorsqu'on respire au Tessin un air plus frais, que les couleurs y sont plus lumineuses et les sites moins envahis.

De petits chemins, quelque peu hasardeux, sillonnent les vallées latérales dans une constante alternance de beauté, tour à tour alpestre ou méridionale. C'est là peut-être que, sur quelque sentier écarté, ou en écoutant la chanson d'une fontaine de village, ou dans le silence d'une chapelle solitaire, ou même sous la pergola d'une auberge de campagne, attablé avec quelque authentique montagnard devant une cruche de «Nostrano», qu'on sert parfois, comme au temps des Etrusques, dans des coupes de terre, il devinera, l'espace d'un instant, l'âme secrète de ce peuple tour à tour grave et gai, fidèle à ses croyances et confiant dans son destin.

The Ticino

Apart from the Alpine walls of the Gotthard, Lukmanier and San Bernardino, the canton of Ticino is entirely surrounded by Italy. In the Grisons there are also open south-trending valleys where Italian is spoken; German is again the local language in the Ticino village of Bosco-Gurin while in Ascona on Lake Maggiore the Latin and Germanic population are about equal in number. For in this heavenblest canton of the south, linked to the rest of Switzerland throughout the year by the Gotthard railway and by the San Bernardino road tunnel, the balmy climate—the mildest of any holiday region in Switzerland—has always been an irresistible lure. To own a house in the Ticino is the dream of almost every moneyed Swiss, and since the war it is an ambition that has been realized—often in all too brash a manner—by leading figures in the worlds of cinema, art and publishing. What makes the Ticino such a delightful spot is its position south of the Alps and the fact that it reaches as far south as Lombardy. In other words there is something Mediterranean about its atmosphere which ingratiates it with the foreign visitor. In point of landscape, though, the region has virtually nothing in common with North Italy; the Ticino remains very much a part of the Confederation because, from the topographical viewpoint, it belongs solidly to the Alps. Apart from the alluvial land of the Ticino river near Magadino, there is no plain of any size and indeed scarcely a broad horizon anywhere. The soft and rounded forms of Italy contrast sharply with the steep slopes, abrupt cliffs and lofty mountains which surround its lakes and valleys. The Romanesque bell-towers and the Baroque churches and palaces often stand on steep-sloped high ground ringed round by mountains. It may not be the most sublime nor the most winning holiday region in the heart of Europe, but it is undoubtedly the most multifaceted and colourful part of Switzerland. Like Basle, Lugano and Locarno are barely 650 feet above sea-level, and the mean annual temperature at Bellinzona is a good 12 degrees centigrade.

Raetians and Lepontines, a Ligurian tribe, settled in the valleys of the Ticino, Moesa, Maggia and Verzasca in prehistoric times. During the Roman period they belonged to Gallia cisalpina, shared the fate of Lombardy during the barbarian invasions and, in common with that region of Italy, came under the rule of German kings, and where then incorporated in the Duchy of Milan. It was out of the latter's feuds with the Confederates that in 1516 the Ennetbirg bailiwicks came into being, to whose history the castles built by the occupying powers of Uri, Schwyz and Unterwalden at Bellinzona can bear eloquent testimony, and which were only abolished by the creation of the Helvetic Republic in 1798. It was the improvement of the Gotthard road for mail-coach traffic in the 19th century and the construction of the Gotthard railway as the most important link between the nord and south of Europe which enabled the Ticino to develop its full economic importance. For many years Ascona, like Davos, held a particular attraction for German writers and artists. Hermann Hesse, Emil Ludwig, Richard Katz and Hans Arp settled in the Ticino, and Eugène d'Albert and Alexander Moissi found their last resting place in the romantically situated cemetery of Morcote.

The Ticinese themselves have always been an artistic people. Many famous names, such as that of the Serodine family of Ascona, were known beyond the national frontiers, particularly in Italy. A number of religious buildings in the Ticino, such as the churches of Maggia, Brione and Lugano contain fine frescos; the Malcantone boasts a baptistery dating from the 6th century and a noble chapel built by the great Baroque master Maderna. Enchanting gardens with semi-tropical plants, luxuriant flowers, cypresses and palms adorn the shores of Lake Maggiore and Lake Lugano; open-air cafés on terraces and in squares bring to the resorts of the Ticino a breath of the Riviera and dolce far niente encountered nowhere else in the busy and hard-working land of Switzerland. In a bravery of pennants white steamers cut the blue waters of the lakes, and mountain railways run visitors to the famous viewpoints on Monte San Salvatore and Monte Generoso. In summer Ascona, Lugano and Locarno are humming with vitality and life, so those who prefer peace and quiet will do well to come to the Ticino in autumn when the air is more limpid, the colours richer in hue, and the places of interest less thronged by sightseers. The minor roads in the side valleys often follow a somewhat hazardous and mildly deterrent course, and this enhances the attractions of walks to the hidden beauties of this land with its inalienable character of Alpine severity mollified by the accents of the south. There, on secluded paths, by a prattling village fountain, in front of an old chapel, drinking the heavy local Nostrano wine often in Etruscan fashion out of an earthenware cup, and chatting to one of the village stalwarts—there the visitor will find the soul of the Ticino in all its serene faith and light-hearted cordiality.

El Tesino

Enlazado con el Norte de Suiza –a través de la muralla de los Alpes– por los puertos del San Gotardo, del Lucomagno y del San Bernardino, el cantón del Tesino, como los dos valles meridionales de los Grisones, se abre en todos los demás lados hacia Italia. Existe en el Tesino un antiguo pueblo de «Walser» (inmigrantes, en otros tiempos, del Valais), Bosco-Gurín, donde se habla alemán; merece mencionarse también el hecho de que la intensa inmigración alemana ha hecho de Ascona una localidad bilingüe. Este cantón meridional, enlazado todo el año con los demás por el ferrocarril del San Gotardo y también por el túnel rodoviario del San Bernardino, es el país de vacaciones por excelencia, que no cesa de atraer a los turistas del Norte. Poseer allí una casa es el sueño de muchos confederados; este anhelo lo han realizado también, desde la última guerra y a menudo de manera escandalosa, numerosos cineastas, escritores y artistas de clase internacional.
La exposición en la vertiente Sur de los Alpes, el acceso fácil a la Lombardía, en una palabra, el ambiente ya mediterráneo, confieren al Tesino su atractivo particular. Por cierto, el Tesino se distingue netamente del Norte de Italia por el paisaje. Esto explica sin duda porque le fue fácil unirse a Suiza; por su topografía, pertenece al mundo alpino; si se exceptúa la llanura de aluviones de Magadino, todo lo que hay son altas montañas y valles estrechos. La dulzura y la bonanza italianas forman aquí un contraste con las laderas escarpadas y las rocas abruptas, amén de las cumbres que circundan lagos y valles. Los campanarios románicos, las iglesias y los palacios de estilo barroco se encuentran a menudo agarrados al flanco de montañas abruptas. Aún no siendo el paisaje tesinés el más grandioso ni el más alegre de Suiza, es sin duda alguna el más variado y el más colorido de todo el país. Lo mismo que Basilea, Lugano y Locarno están situados a doscientos metros por encima del nivel del mar; en Bellinzona, la temperatura anual media es de doce grados centígrados.
Los Recios y los Lepontinos –estos últimos eran de origen ligurino– poblaron en épocas prehistóricas los valles tesineses, particularmente el valle de Maggia y el de Verzasca que, después de haber sido incorporados –en la época romana– a la Galia cisalpina, compartieron la suerte de Lombardía en los tiempos de las grandes migraciones y fueron puestos, como ella, bajo la soberanía de monarcas alemanes. Más adelante fueron unidos al ducado de Milán, cuyos conflictos con los Confederados originaron, en 1516, las bailías que recuerdan aún en la actualidad, las tres ciudadelas (Uri, Schwyz, Unterwald) que dominan Bellinzona. Las bailías fueron abolidas por la República Helvética en 1798. La construcción de la carretera del San Gotardo, abierta al tráfico postal ya el siglo pasado y, más adelante, la del ferrocarril que convirtieron esta vía de

comunicación en la más importante de todas las que enlazan el Norte con el Sur de Europa, contribuyeron al progreso económico del Tesino. Lo mismo que Davós, Ascona ejerce una atracción en particular sobre los artistas alemanes. Hermann Hesse, Emil Ludwig, Hans Arp, se establecieron en el Tesino. Eugène d'Albert y Alexandre Moissi descansan en el cementerio romántico de Morcote.

Pero los tesineses son un pueblo de gran talento artístico. Dinastías de artistas, como la de los Serodine de Ascona, actuaron en toda Italia. Numerosas iglesias del Tesino, ante todo las de Maggia, de Brione y de Lugano, contienen frescos de gran valor; en el Malcantone, se encuentra un baptisterio del siglo VI, así como una capilla construida por el gran arquitecto Maderna. Numerosos parques encantadores, donde crece, a la sombra de las palmeras y de los cipreses, una vegetación exuberante, engalanan las orillas de los lagos Mayor y de Lugano. En los lugares de veraneo tesineses, los cafés y sus terrazas que desbordan sobre la vía pública, evocan la Riviera y el «dolce far niente» (atmósfera bien rara en Suiza). Los barcos blancos, decorados de banderas multicoloras, surcan las aguas azules de los lagos; funiculares cunducen a los célebres belvederes del Monte Generoso y del San Salvatore. En verano, Ascona, Lugano, Locarno, son lugares extraordinariamente animados. Al aflujo pintoresco de los huéspedes de todos los países, se agregan en todas partes, la gracia y la elegancia natural de la población tesinesa.

Pero el que aspira a la tranquilidad, dará la preferencia a una estancia en otoño, cuando se respira en el Tesino un aire más fresco, cuando los colores son más luminosos y los sitios menos concurridos.

Pequeños caminos, bastante caprichosos, surcan los valles laterales en una alternación constante de belleza, tanto alpestre como meridional. Allí, en un sendero solitario, o escuchando la canción de una fuente del pueblo, o en el silencio de una capilla apartada, o incluso a la sombra del emparrado de una fonda rústica, sentado en la mesa con algún montañés auténtico, paladeando un oloroso vino «nostrano» que se sirve a veces, como en la época de los etruscos, en copas de barro, adivinaráse tal vez, en el espacio de un instante, el alma secreta de este pueblo a la vez grave y alegre, fiel a sus creencias y confiado en su destino.

LAUDATE DOMINUM SOL
8
9
10
11
12
1
2
3
4

← Im Bavonatal: am zerfallenden Gemäuer eine Sonnenuhr in urtümlicher Form

Cadran solaire archaïque sur un mur délabré, dans le val Bavona

In the Bavona Valley: the earliest form of sundial on the ruined wall

Val Bavona: Viejo reloj de sol conservado sobre un muro en ruinas

Von drei mächtigen Burgen überragt: die Kantonshauptstadt Bellinzona

Bellinzone, chef-lieu du Tessin, au pied de ses trois puissants châteaux

Bellinzona, the cantonal capital, dominated by three mighty fortresses

Bellinzona, capital del Tesino, a los pies de sus tres poderosos fuertes

Mariensonntag in Aquila am Lukmanierpass: Rast nach der Prozession

Après la procession de l'Assomption à Aquila, au col du Lukmanier

"Lady Sunday" at Aquila on the Lukmanier Pass: a rest after the procession

Tras la procesión de la Asunción en Aquila, sobre el puerto de Lucomaño

Vor Locarno: von südlicher Pracht der Frühling am Langensee →

Le lac Majeur près de Locarno dans la splendeur du printemps

Near Locarno: the southern glory of the spring on Lake Maggiore

El lago Mayor, junto a Locarno, engalanado de primavera meridional

In den entlegensten Winkeln wird der Kunstsinn des Tessiners sichtbar: Fresko in Costa ob Intragna

A Costa sur Intragna: une fresque qui témoigne du sens artistique des Tessinois

The Ticinese have an eye for art, witness this fresco at Costa above Intragna

Muestra del sentido artístico del tesinés: fresco cerca de Costa, sobre Intragna

In Berzona im Onsernonetal ein archaisch anmutender Rustico →

Ferme d'autrefois à Berzona dans le val d'Onsernone

At Berzona in the Onsernone Valley, an old-world country idyll

Arcaica y encantadora casa rústica de Berzona, en el Val d'Onsernone

← Das Maggiatal
mit seiner wilden und
schönen Landschaft

Le Val Maggia avec
son paysage magnifique
et sauvage

The Maggia Valley
with its beautiful and
wild scenery

El valle de Maggia,
con su paisaje
magnífico y salvaje

Ein typisches Tessinerdorf
ist Lavertezzo im Verzascatal

Lavertezzo est un village
typique du Val de Verzasca

A typical Ticino village
is Lavertezzo in
the Verzasca Valley

Lavertezzo es un pueblo típico
del valle de Verzasca

Geburtsanzeige von Ziegen auf einer Stalltür im Maggiatal

Faire-part de naissance de cabris sur une porte d'étable du val Maggia

Birth notice of goats on a shed door in the Maggia Valley

Aviso de nacimiento de chotos en un establo del valle de Maggia

Die in den Bergen entspringenden Flüsse und Bäche führen klares Wasser zu Tal

Les torrents et ruisseaux dévalant des montagnes ont une eau limpide à souhait

Mountain streams bring clear, fresh water down into the valleys

Los torrentes y arroyos que descienden de las montañas llevan un agua tan limpia como se pueda desear

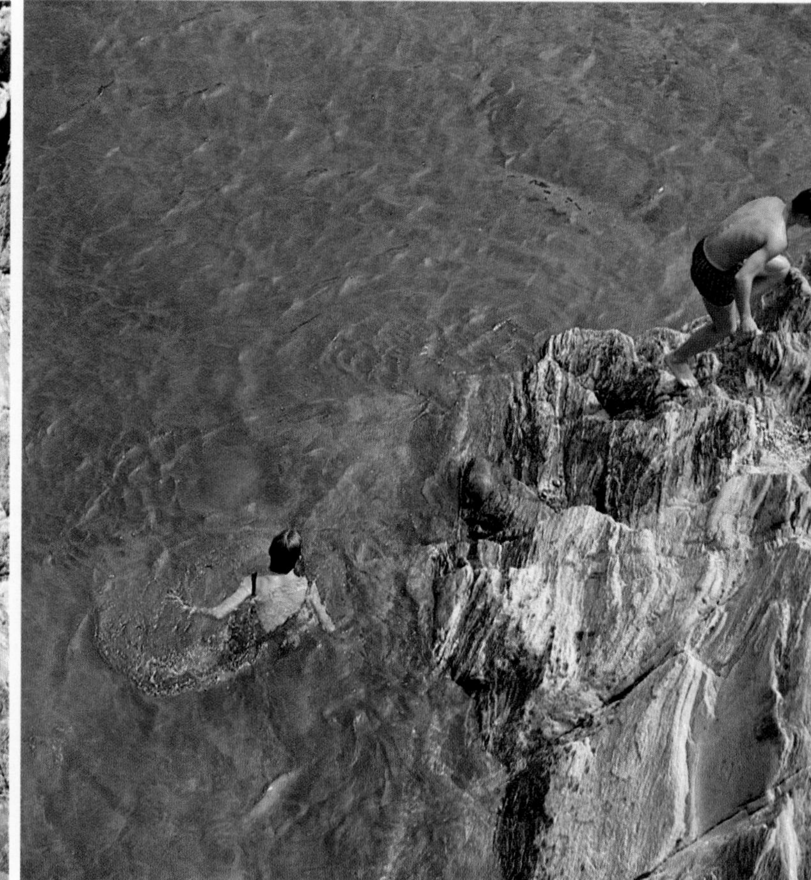

Die Strassen in den schönen Tessiner Dörfern und Städten sind erfüllt von pulsierendem Leben →

Les ravissants villes et villages du Tessin bourdonnent d'activité

The attractive villages and towns of the Ticino are alive with bustling activity

Las ciudades y los pueblos encantadores del Tesino hormiguean de actividad

Morgenlicht über dem Ceresio:
Lugano und sein Wahrzeichen,
der Monte San Salvatore

L'aube sur le Ceresio:
Lugano et son emblème,
le Mont San Salvatore

Morning light over the Ceresio:
Lugano and its famous landmark,
Monte San Salvatore

Amanece sobre el Ceresio:
Lugano y su emblema,
el Monte San Salvatore

← Zwischen Himmel und Erde: der Campanile der Kirche von Morcote

Entre ciel et terre: le campanile de l'église de Morcote

The campanile of the church at Morcote towers heavenwards

Recortado entre cielo y tierra: el campanario de la iglesia de Morcote

Dem Berghang angeschmiegt das oberste Dorf im Val Lavizzara: Fusio

A flanc de montagne: Fusio, le plus haut village du Val Lavizzara

Nestling against the mountain side, Fusio, the highest village in the Val Lavizzara

En el flanco de la montaña: Fusio, el pueblo más elevado del valle Lavizzara

Bocciapartie im Schatten der Kirche von Savosa über dem Ceresio

Partie de «boccia» à l'ombre de l'église de Savosa, sur le Ceresio

A game of "boccia" in the shadow of Savosa church

Juego de bolas delante de la iglesia de Savosa encima del lago de Lugano

Maiskolben und Blumen an einer Hausfassade in Comano ob Lugano

Des épis de maïs et des fleurs décorent une façade de Comano sur Lugano

Corn cobs and flowers on a house façade at Comano above Lugano

Mazorcas y flores adornan la fachada de una casa de Comano, encima de Lugano

Mendrisio: eingebettet in die südlich-heitere Landschaft des Mendrisiotto →

A l'extrême sud du Tessin, Mendrisio dans la douce lumière du Midi

Mendrisio: nestling in the sun-blessed landscape of the Mendrisiotto

Mendrisio: centro de la risueña comarca del Tesino meridional

Allen, die Erholung suchen: reise durch Europa – raste in der Schweiz!

Conséquence d'un bon conseil: «Courez l'Europe, détendez-vous en Suisse!»

"See Europe but tarry awhile in Switzerland" is good advice for the weary

Consejo final a los que ansían reposo: «Recorra Europa – deténgase en Suiza»